THE WORLD OF...

French
Revision

Julie Adams

Contents

How French is your English?

Cognates

A cognate is a word that looks similar in French and English and has a similar meaning. Find the cognates in these sentences. For example: *adresse* (French) – address (English).

L'adresse, c'est 37 avenue de la République.

Quel âge as-tu?

Je vais souvent au cinéma. J'aime les films d'aventures.

During

I often go

Pendant les cours de français, nous écoutons des conversations sur CD.

J'adore le chocolat et les biscuits!

Belgian

Monsieur Hercule Poirot, le détective belge, a une moustache incroyable.

incredible

Tu joues d'un instrument de musique?

after

L'hôtel est juste après la banque.

L'océan Atlantique sépare l'Europe et l'Amerique.

J'adore le football et je vais à un match ce week-end.

Le français est une langue intéressante En tout cas, c'est mon opinion.

Anyway

you can

Pour aller de France en Angleterre, on peut prendre le tunnel sous la Manche.

Faux amis: False friends

False friends are words that look similar in both languages but have different meanings.

les affaires   things
Le professeur dit: «Rangez vos affaires!»

le parfum   perfume, flavour
Mon parfum de glace préféré, c'est le chocolat.

un car   coach, bus
Je vais à l'école en car.

la lecture   reading
J'adore la lecture, mon livre préféré est Harry Potter.

les courses   shopping
Le week-end, mes parents font les courses.

une pièce   room
Il y a sept pièces dans mon appartement.

Loan words

Loan words are words that have been borrowed from other languages. They sometimes have a slightly different meaning.

un parking   a car park
le camping   a campsite
les chips   crisps (not chips!)
un jean   a pair of jeans (plural in English, singular in French)

EXAMINER'S TOP TIPS

When you write down words to learn them, remember to put the correct article before all nouns, e.g. le concert, la lecture. It's important to know the gender of every noun.

Friend or foe?

Match the words with their meanings. Be careful! Some are cognates, some are *faux amis* and some are loan words.

1	le concert	a)	day
2	les baskets	b)	excursion, trip
3	un plat	c)	group
4	un skate	d)	music
5	un jogging	e)	traffic
6	le contrôle	f)	test, assessment
7	une excursion	g)	concert
8	la musique	h)	dish, recipe
9	la circulation	i)	trainers, sports shoes, basketball boots
10	une journée	j)	tracksuit
11	un pyjama	k)	football
12	un groupe	l)	skateboard
13	le foot	m)	(a pair of) shorts
14	un short	n)	(a pair of) pyjamas

KEY FACTS

Looking for cognates and loan words first in a French text will help you to understand it more quickly.

Answers
1 g)   8 d)
2 i)   9 e)
3 h)   10 a)
4 l)   11 n)
5 j)   12 c)
6 f)   13 k)
7 b)   14 m)

An interview with Izzy

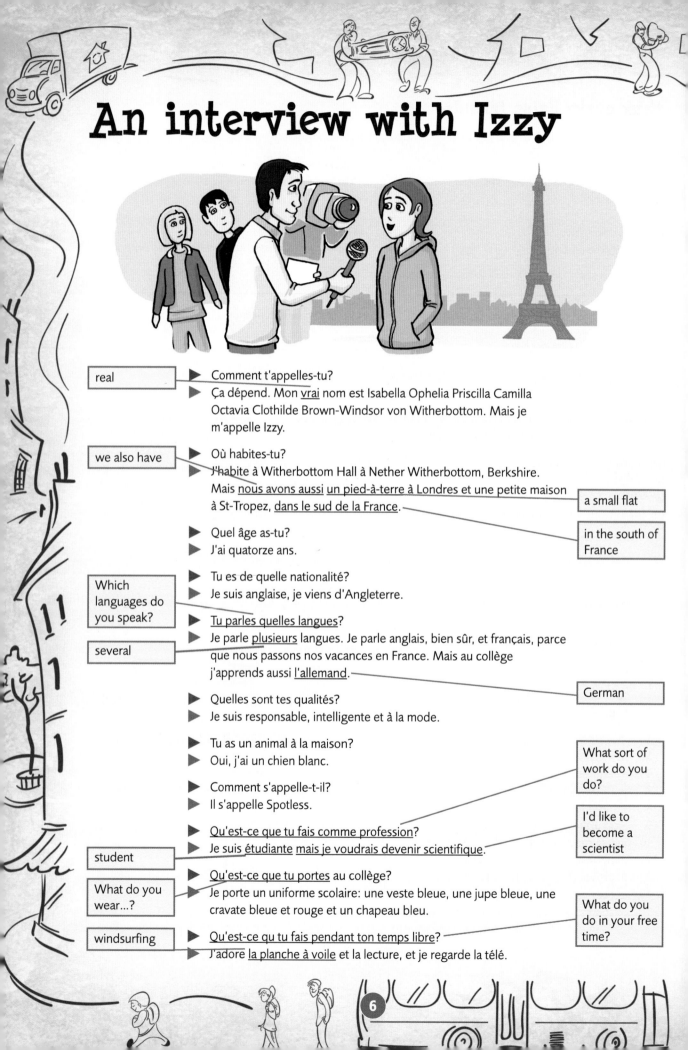

real
- Comment t'appelles-tu?
- Ça dépend. Mon <u>vrai</u> nom est Isabella Ophelia Priscilla Camilla Octavia Clothilde Brown-Windsor von Witherbottom. Mais je m'appelle Izzy.

we also have
- Où habites-tu?
- J'habite à Witherbottom Hall à Nether Witherbottom, Berkshire. Mais <u>nous avons aussi</u> un pied-à-terre à Londres et une petite maison à St-Tropez, <u>dans le sud de la France</u>.

a small flat

in the south of France

- Quel âge as-tu?
- J'ai quatorze ans.

- Tu es de quelle nationalité?
- Je suis anglaise, je viens d'Angleterre.

Which languages do you speak?
- <u>Tu parles quelles langues</u>?
- Je parle <u>plusieurs</u> langues. Je parle anglais, bien sûr, et français, parce que nous passons nos vacances en France. Mais au collège j'apprends aussi <u>l'allemand</u>.

several

German

- Quelles sont tes qualités?
- Je suis responsable, intelligente et à la mode.

- Tu as un animal à la maison?
- Oui, j'ai un chien blanc.

What sort of work do you do?

- Comment s'appelle-t-il?
- Il s'appelle Spotless.

I'd like to become a scientist

- <u>Qu'est-ce que tu fais comme profession</u>?
- Je suis <u>étudiante</u> <u>mais je voudrais devenir scientifique</u>.

student

What do you wear...?
- <u>Qu'est-ce que tu portes</u> au collège?
- Je porte un uniforme scolaire: une veste bleue, une jupe bleue, une cravate bleue et rouge et un chapeau bleu.

What do you do in your free time?

windsurfing
- <u>Qu'est-ce qu tu fais pendant ton temps libre</u>?
- J'adore <u>la planche à voile</u> et la lecture, et je regarde la télé.

Subject pronouns

If you're going to know who is doing what to whom when you read a text in French, then you'll need to know your subject pronouns. These can be used to replace the subject of the sentence. Learn them by heart.

singular		plural	
je	I	**nous**	we
tu	you	**vous**	you
il	he, it	**ils**	they *(group of men or boys; mixed group)*
elle	she, it	**elles**	they *(group of women or girls)*
on	'one': we, you, they		

Une interview avec toi

If you were famous, would you be ready for an interview with the French-speaking press or TV? Below are some of the questions the interviewer asked Izzy. The end of each answer has been left blank for you to provide your own details.

▶ Comment t'appelles-tu?
▶ Je m'appelle...

▶ Où habites-tu?
▶ J'habite à...

▶ Quel âge as-tu?
▶ J'ai ... ans.

▶ Tu es de quelle nationalité?
▶ Je suis...

▶ Tu parles quelles langues?
▶ Je parle...

▶ Quelles sont tes qualités?
▶ Je suis...

▶ Tu as un animal à la maison?
▶ Oui, j'ai...

▶ Qu'est-ce que tu portes au collège?
▶ Je porte un uniforme: ...

▶ Qu'est-ce que tu fais pendant ton temps libre?
▶ Je...

KEY FACTS

⬆ Use *tu* to someone you know well; use *vous* to someone you don't know well, or to a group of people.

➡ *On* (literally, 'one') usually means 'we', but it can also mean 'they' or 'people in general' (see page 75).

The Simpsons' extended family

Herbert Powell

Herb est le demi-frère de Homer. Son père est Abraham Simpson.
Il ressemble à Homer, mais il est plus mince et il a plus de cheveux. Il a
inventé une machine à traduire le langage des bébés, et maintenant il est
milliardaire.

He looks like

millionaire

thinner

to translate baby language

Selma et Patty Bouvier

Selma et Patty sont les sœurs jumelles de Marge. Elles ont les cheveux
bleus. Elles travaillent dans un bureau et elles fument cigarette sur
cigarette. Elles aiment leurs neveu et nièces, mais elles détestent leur
beau-frère Homer. Selma a été mariée trois fois, mais maintenant elle est
divorcée et elle habite avec sa sœur Patty.

they chain-smoke

has been married

Mona Simpson

Mona est la mère de Homer et la femme d'Abe. Elle est activiste. Elle
s'est évadée de prison et elle est en cavale.

She escaped from prison

the wife

on the run

Abraham J. Simpson

Abe est le père d'Homer et donc le grand-père de Bart, Lisa et Maggie.
Il raconte des histoires imaginaires.

He tells

therefore

Jacqueline Bouvier

Jackie est la mère de Marge et de ses sœurs jumelles, Patty et Selma.
C'est aussi la grand-mère de Bart, Lisa et Maggie. Elle fume beaucoup.

Abbie

Abbie est la demi-sœur de Homer. C'est la fille d'Edwina, la copine
anglaise d'Abe. Abbie habite en Angleterre et elle ressemble beaucoup à
Homer.

the girlfriend

Boris Simpson

Boris est l'oncle de Homer et le frère d'Abe.

Frank

Frank est le cousin de Homer.

Describing your family

le père	father		**la mère**	mother
le frère	brother		**la sœur**	sister
le fils	son		**la fille**	daughter
le grand-père	grandfather		**la grand-mère**	grandmother
l'oncle	uncle		**la tante**	aunt
le cousin	(male) cousin		**la cousine**	(female) cousin
le demi-frère	half-brother, stepbrother		**la demi-sœur**	half-sister, stepsister
le beau-frère	brother-in-law		**la belle-sœur**	sister-in-law
le jumeau	(male) twin (plural: **les jumeaux**)		**la jumelle**	(female) twin (plural: **les jumelles**)
le neveu	nephew		**la nièce**	niece

Possessive adjectives

Possessive adjectives are words such as *my, your, his, her, our* and *their*. In French, possessive adjectives agree with (that is, match) the gender of the noun that follows.

son frère — his brother OR her brother
sa sœur — his sister OR her sister
ses sœurs — his sisters OR her sisters

Mon/ma/mes (*my*) and **ton/ta/tes** (*your*) follow exactly the same pattern.

	masculine	*feminine*	*plural*
my	**mon**	**ma**	**mes**
your	**ton**	**ta**	**tes**
his, her, its	**son**	**sa**	**ses**

So you think you know The Simpsons?

Which members of the Simpsons' extended family is Bart describing?

1. C'est notre chat.
2. Il mange le journal chaque matin.
3. Il habite à «Springfield Retirement Castle».
4. Leur oncle s'appelle Lou Bouvier.
5. C'est l'animal de ma tante Selma.
6. Son nom de famille est «Bouvier Terwilliger Hutz McClure».

    a) Marge, Patty et Selma
    b) L'iguane Jub-Jub
    c) Mon grand-père Abe
    d) Ma tante Selma
    e) Notre chien, Santa's Little Helper
    f) Snowball

EXAMINER'S TOP TIPS

Try to learn possessive adjectives by associating each one with a familiar person or thing:

mon frère ma sœur
mes parents

Ma, ta and *sa* become *mon, ton* and *son* when they come before feminine nouns that begin with a vowel sound: mon adresse (not ma adresse), ton école (not ta école), son opinion (not sa opinion).

KEY FACTS

⬆ **The words for *your* (formal/plural), *our* and *their* have the same form for singular masculine and feminine:**

	singular	plural
our	notre	nos
your	votre	vos
their	leur	leurs

➡ **leur beau-frère** *their brother-in-law*

leur mère *their mother*

leurs nièces *their nièces*

Answers

1 f)	4 a)
2 e)	5 b)
3 c)	6 d)

My home page

Back Forward Stop Refresh Home AutoFill Print Mail

Address: @ http://www.woddanoo.fr/ > go

@ Live Home Page @ Apple Computer @ Apple Support @ Apple Store @ Microsoft MacTopia @ MSN

Home page

Salut! ☺ Je m'appelle Mathilde.
Voilà <u>mon site</u>.

my website

Clique ici pour les informations sur:

Mes <u>détails personnels</u>
Mes <u>passe-temps</u>
Mes <u>passions</u>
Ma <u>vie à l'école</u>
Mes <u>langues</u>

Mes détails personnels
J'habite à Paris, en France, dans un appartement. J'habite avec ma famille,
mes parents, Marc et Sophie, et mon frère. Mon frère s'appelle Thomas et <u>il
m'énerve</u>. J'ai un animal à la maison, c'est <u>une souris</u>. Elle s'appelle Lili, elle
est <u>super mignonne</u>.

a mouse

he gets on
my nerves

really cute

Mes passe-temps
Pendant mon temps libre, je regarde la télé et je joue dans un club de foot.

Mes passions
Je suis une fan de Friends. C'est une série américaine. J'adore aussi regarder
le foot à la télé.

Ma vie scolaire
A l'école, <u>je suis forte en maths</u>, mais je n'aime pas les sciences.

I'm good at
maths

Mes langues
Je parle français (bien sûr!), et je parle assez bien espagnol.

Et toi? connecte-toi et raconte...
A bientôt sur le net!

Internet zone

The first person singular

When you are talking or writing about yourself, you will most frequently use the *je* form of the verb (the first person singular). There are some simple rules for making the *je* form of **regular verbs**.

Verbs that end in er (for example, regarder – to look at)
Remove *er* and add *e*
regarder ⇨ **je regarde**

Verbs that end in ir (for example, choisir – to choose)
Remove *ir* and add *is*
choisir ⇨ **je choisis**

Verbs that end in re (for example, comprendre – to understand)
Remove *re* and add *s*
comprendre ⇨ **je comprends**

My home page got a virus

The phrases (a – j) from Miloud's home page have got mixed up. Can you put them under the correct headings?

1 **Mes détails personnels**
2 **Mes passe-temps**
3 **Mes passions**
4 **Ma vie scolaire**
5 **Mes langues**

a) J'adore le club Spurs. C'est un club de foot anglais.
b) J'ai quatorze ans.
c) J'aime bien la géographie parce que le prof est amusant.
d) J'écoute de la musique.
e) Je m'appelle Miloud.
f) Je n'aime pas les maths.
g) Je parle français.
h) Je sors avec mes amis.
i) Je parle aussi l'arabe à la maison.
j) Je suis français, mais mes parents sont algériens.

KEY FACTS

You also need to know several irregular verbs, such as je suis (from être), j'ai (from avoir), and je vais (from aller): see pages 25, 27 and 29.

see pages 25, 27 and 29.

EXAMINER'S TOP TIPS

You could be asked to talk about yourself in a speaking test or in a writing test. Learn by heart how to give information about various aspects of your life.

Answers
1 b), e), j)
2 d), h)
3 a)
4 c), f)
5 g), i)

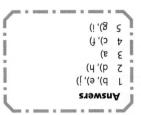

11

With friends like these...

nobody understands what he does

Chandler Bing est angoissé mais amusant. C'est un ami loyal et il a beaucoup aidé Joey <u>quand il n'avait pas de travail</u>. Il travaille dans un bureau, mais <u>personne ne comprend ce qu'il fait</u>.

when he didn't have any work

he used to work in a museum

Ross Geller est intelligent mais un peu «intello». <u>Il s'est marié</u> trois fois, mais, comme ami, <u>on peut compter sur lui</u>. C'est aussi un bon père. Il est professeur à l'université. Il est archéologue et, avant, <u>il travaillait dans un musée</u>.

He has been married

you can count on him

She can cook well

Monica Geller est <u>obsédée par l'ordre et la propreté</u>. Elle est intelligente et créative. <u>Elle fait bien la cuisine</u> et elle travaille comme chef. Maintenant, elle est très mince mais, avant, elle était énorme.

obsessed by tidiness and cleanliness

the star actor

Joey Tribbiani est beau et c'est <u>l'acteur-vedette</u> du feuilleton «Days of our lives». Il est distrait et naïf, mais il est un ami loyal. Il adore manger des pizzas et il est gourmand.

clothes

Phoebe Buffay est masseuse et, le soir, elle chante des chansons amusantes au café Central Perk. Elle a des <u>coiffures</u> bizarres et des <u>vêtements</u> un peu excentriques. Elle est un peu distraite, très naïve et elle a beaucoup d'imagination.

hairstyles

the label

Rachel Green est très belle et élégante. Elle est amusante et c'est une amie loyale. Elle est maman, mais elle travaille aussi pour <u>la marque</u> Ralph Lauren. Elle est très à la mode, et elle a de beaux cheveux.

Describing personality and looks

angoissé, angoissée nervous
amusant, amusante amusing, funny
loyal, loyale loyal, faithful
intelligent, intelligente intelligent
intello intellectual, 'geeky'
obsédé, obsédée obsessed
créatif, créative creative
mince thin
énorme enormous

beau, belle good-looking, beautiful
distrait, distraite absent-minded, forgetful
naïf, naïve naive
gourmand, gourmande greedy
bizarre odd
excentrique eccentric
élégant, élégante elegant, stylish

Adjectives

In French, adjectives have to agree with (that is, match) the noun they're describing. If you look up an adjective in the dictionary, you will usually find the masculine singular form. But if you are describing feminine or plural nouns, you usually have to add an ending.

To describe a feminine noun (or female person), you usually add an **e** to the adjective. To describe a plural noun (or two or more people), you usually add an **s**. Look at these descriptions of characters from *Friends*:

Masculine	Feminine	Plural
Chandler est **amusant**.	Rachel est **amusante**.	Ross et Monica sont **amusants**.

If you are describing a feminine plural noun (or two or more females), you usually add **e** *and* **s** to the adjective:

Masculine	Feminine	Feminine plural
Il est amusant.	Elle est amusante.	Rachel et Phoebe sont **amusantes**.
		Leurs histoires sont **amusantes**.

EXAMINER'S TOP TIPS

Use these adjectives to write sentences about your own family and friends and learn them by heart. Remember to choose the correct forms of the adjectives so they agree with the gender and number of the people you are describing.

KEY FACTS

Some adjectives are irregular and follow different patterns:

Masculine	Feminine	Masculine plural	Feminine plural
Joey est **beau**.	Rachel est **belle**.	... de **beaux** cheveux.	... de **belles** coiffures.
... un ami **loyal**.	... une amie **loyale**.	... des amis **loyaux**.	... des amies **loyales**.

My global village

Imagine you live in a village of a hundred inhabitants. What is life like for the people in this global village?

Where do they come from?

just one person

D'où viennent-ils?
Soixante et une personnes viennent d'Asie. Treize sont africaines. Douze personnes sont européennes. Huit viennent d'Amérique du Sud. Cinq sont d'Amérique du Nord (Canada et États-Unis). Et une seule personne vient d'Australie ou des îles du Pacifique.

Hello

¡Hola!

Quelles langues parlent-ils?
Vingt-deux personnes parlent des dialectes chinois. Neuf parlent l'anglais et huit parlent l'hindi. Sept personnes parlent l'espagnol.

Chinese

are under thirty

on average

dies

are born

their life expectancy

Quel âge ont-ils?
La majorité des habitants ont moins de trente ans. Seulement une personne a plus de soixante-dix-neuf ans. Chaque année, en moyenne une personne meurt et trois bébés naissent. Leur espérance de vie est de soixante-trois ans.

That's twice as many chickens as people!

sheep and goats

cows

pigs

enough

the food is not equally divided

Qu'est-ce qu'ils mangent?
Il y a presque deux cents poulets dans le village. C'est deux fois plus de poulets que de personnes! Il y a aussi trente et un moutons et chèvres vingt-trois vaches et quinze cochons. Il y a suffisament à manger, mais la nourriture n'est pas également divisée. Par conséquent, seulement trente personnes ont assez à manger. Les soixante-dix autres ont souvent ou toujours faim.

of school age

there's only one teacher

who can't read

The majority are women

Et l'école?
Il y a, dans le village, trente-huit habitants en âge d'aller à l'école. Mais seulement trente et un vont à l'école, et il n'y a qu'un professeur. Il y a dix-sept adultes qui ne savent pas lire. Ce sont en majorité des femmes.

Que font-ils le soir?
Soixante-seize habitants ont l'électricité. Dans le village, il y a:
- quarante-deux radios
- vingt-quatre téléviseurs
- trente téléphones
- dix ordinateurs

Numbers

1 un	11 onze	20 vingt	72 soixante-douze
2 deux	12 douze	21 vingt et un	
3 trois	13 treize	22 vingt-deux	80 quatre-vingts
4 quatre	14 quatorze		81 quatre-vingt-un
5 cinq	15 quinze	30 trente	82 quatre-vingt-deux
6 six	16 seize	40 quarante	
7 sept	17 dix-sept	50 cinquante	90 quatre-vingt-dix
8 huit	18 dix-huit	60 soixante	91 quatre-vingt-onze
9 neuf	19 dix-neuf		92 quatre-vingt-douze
10 dix		70 soixante-dix	
		71 soixante et onze	100 cent

How many ?

How many of these are there in the global village? Read the text again and write the numbers in the boxes.

1  10

2

3  Européens

4

5

6

EXAMINER'S TOP TIPS

Numbers in French can be tricky – especially from 70 to 99 – so you must learn them by heart. Examiners test numbers in almost every French exam.

Answers

1 10 computers
2 (almost) 200/ twice as many chickens as people
3 12 Europeans
4 3 babies every year
5 1 teacher
6 24 televisions

Describing my school

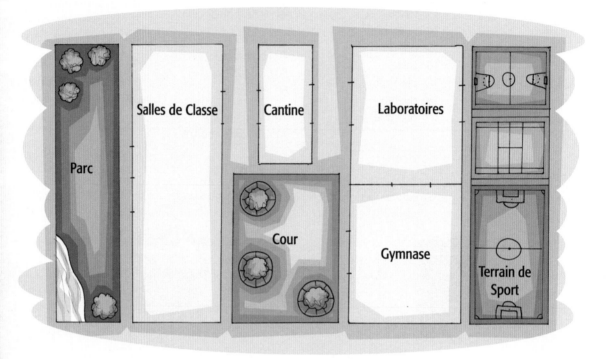

| Parc | Salles de Classe | Cantine | Laboratoires | |
| | | Cour | Gymnase | Terrain de Sport |

is situated

J'adore mon collège. C'est une école mixte et il y a <u>environ cinq</u> cents élèves. Le bâtiment est <u>neuf</u>: <u>on l'a construit il y a deux ans</u>. Le collège <u>se trouve</u> en face d'un parc, pas loin des magasins du centre-ville. Derrière le collège, il y a un terrain de sport. Il y a des laboratoires modernes à côté du gymnase. Entre le gymnase et les salles de classe, il y a une grande cour. Là, pendant la récréation, <u>on vend des pains au chocolat</u>. Il y a aussi une cantine, près de la cour. Il n'y a pas de piscine dans mon collège.

chocolate croissants are sold

ICT lessons

a (school) subject

Ma salle de classe préférée <u>est</u> la salle de technologie, parce que j'adore <u>l'informatique</u>. <u>Je suis fort en</u> technologie et en anglais. J'aime aussi la géographie parce que la prof est intéressante. Je trouve que l'histoire est <u>une matière</u> difficile et ennuyeuse. Le mardi, après l'école, je vais au club d'art.

about

it was built two years ago

new

I'm good at

Describing your school

un collège	secondary school	**une école mixte**	mixed school
un bâtiment	building	**une salle de classe**	classroom
un terrain de sport	sports ground	**une cour**	yard, playground
un laboratoire	laboratory	**la recréation/la récré**	breaktime
un gymnase	gymnasium	**une cantine**	canteen
le club d'art	art club	**une piscine**	swimming pool

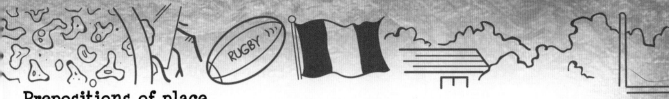

Prepositions of place

In this text, prepositions are used to tell you exactly where things are in the school.

à côté de	next to, beside	**loin de**	far from
devant	in front of	**près de**	near
derrière	behind	**sur**	on
en face de	opposite	**sous**	under
entre	between	**dans**	in
au fond de	at the back of		

Who sits where?

Read the clues and work out who sits where in the classroom.

Le fond de la classe

à gauche

Camille	Agathe		Benoît
	Gabrielle		
Géraldine		Céline	
	Jean-Charles	Jean-Christophe	Laurent
	Le tableau	Le bureau du prof	

à droite

- Claudette est derrière Géraldine.
- Adrien est devant Benoît.
- Pierre est devant le tableau.
- Clément adore l'école et il est près du prof.
- Stéphanie adore Adrien: elle est à côté de lui.
- Vincent est entre Géraldine et Céline.

- Éloïse déteste Benoît et est aussi loin de lui que possible.
- Élodie est à gauche dans la classe.
- Mathieu est à droite dans la classe.
- Delphine n'est pas forte en français: elle est au fond de la classe.

KEY FACTS

◁ When *de* is followed by *le*, the two words join to become *du*:
à côté (de + le) gymnase ⇨
à côté du gymnase

▷ When *de* is followed by *les*, the two words join to become *des*:
pas loin (de + les) magasins ⇨
pas loin des magasins

▽ *à* also changes when it is followed by *le* or *les*:
à + le ⇨ au
à + les ⇨ aux

EXAMINER'S TOP TIPS

When you read a description of a place, look for prepositions to help you understand the description.

	Le bureau du prof	Le tableau	
Guillaume	Clément	Pierre	Éloïse
Laurent	Jean-Christophe	Jean-Charles	Élodie
Mathieu	Céline	Vincent	Géraldine
Adrien	Stéphanie	Gabrielle	Claudette
Benoît	Delphine	Agathe	Camille

Le fond de la classe

Answers

Are you the sporty type?

Les basketteurs sont généralement très grands.

Les jockeys sont petits.

Do you want...?	
size, build	
body	
arms	

Tu fais du sport? <u>Tu veux</u> devenir champion dans ton sport? Ça peut dépendre de ta <u>taille</u>. Tu es grand ou petit?

Peut-être es-tu déjà <u>fort dans ton sport</u>, mais si tu veux devenir champion de certains sports, il faut avoir (ou développer) un certain type de <u>corps</u>. <u>Tout le monde sait</u> que les basketteurs sont extrêmement grands et minces et que les nageurs aussi sont de grande taille. Par exemple, le nageur australien Ian Thorpe fait 1 m 98 et ses <u>pieds</u> sont immenses! Les nageurs ont des <u>bras</u> vraiment musclés et des <u>jambes</u> très longues. Par conséquent, ils ont un avantage dans la piscine.

Les rameurs, comme Sir Steve Redgrave et Sir Matthew Pinsent, <u>sont aussi bien plus grands que la moyenne</u>. Ils ont des bras et des jambes remarquables. Par contre, les gymnastes sont, en général, plus petits que la moyenne. Ils sont très musclés, comme les rameurs, mais <u>bâtis</u> différemment. Il est plus facile pour une gymnaste de petite taille de <u>faire des sauts périlleux</u>.

Les coureurs de vitesse (par exemple, 100 mètres ou 400 mètres) sont grands ou petits. Normalement, ils ont les jambes particulièrement musclées mais les bras assez courts. Les coureurs d'endurance (par exemple, les marathoniens) sont généralement minces. Paula Radcliffe est championne de marathon et de 10 000 mètres, et elle est vraiment mince.

good at your sport	
Everybody knows	
feet	
legs	
are also much bigger than average	
built	
do somersaults	

les basketteurs	basketball players	**les gymnastes**	gymnasts
les jockeys	jockeys	**les coureurs de vitesse**	sprinters
les nageurs	swimmers	**les coureurs d'endurance**	long-distance runners
les rameurs	rowers		

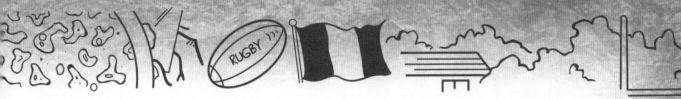

Descriptions

When you use adjectives to describe something or someone, you can improve your description by adding the following adverbs before the adjective:

assez   quite
très   very
vraiment   really
extrêmement   extremely
particulièrement   particularly

J'ai les jambes **assez longues**.
Il nage bien. Il est **vraiment rapide**.
Elle est **particulièrement forte** en maths.
J'ai les cheveux **très courts**.

Sport and the body

According to the text, which descriptions are correct?

1 Basketball players are tall/~~short~~ and slim/~~stocky~~.
2 Swimmers are tall with strong/weak arms and long/short legs.
3 Rowers are taller/shorter than average with strong/weak arms and legs.
4 Gymnasts are taller/shorter than average so they can somersault easily.
5 Sprinters can be either short or tall, with short/long arms and strong/weak legs.
6 Long-distance runners are usually slim/stocky.

EXAMINER'S TOP TIPS

Improve your writing by joining phrases to make longer sentences:

- Use *et* (and) to join two similar or connected ideas:
  Les basketteurs sont grands **et** minces.
- Use *mais* (but) to join two contrasting ideas:
  Les coureurs de vitesse ont les jambes musclées **mais** les bras assez courts.
- Use *ou* (or) to join alternatives:
  Les coureurs de vitesse sont grands **ou** petits.
  (Don't get *ou* and *où* mixed up. *Ou* means 'or'; *où* means 'where'.)

Answers
1 tall, slim
2 strong, long
3 taller, strong
4 shorter
5 short, strong
6 slim

J'ai mal...

à la tête

à la main

au bras

au ventre

au genou

à la jambe

au dos

aux pieds

J'ai mal...

aux yeux

à l'oreille

à la gorge

aux dents

La santé

What about
everybody else?

- Remember to use the correct part
of avoir (see page 27):

I	J'ai mal à la tête.
you	Tu as mal à la tête?
he	Il a mal à la tête.
she	Elle a mal à la tête.

More avoir
phrases

J'ai soif.

J'ai très chaud.

Je n'ai pas faim.

- à followed by le becomes au: le ventre — J'ai mal au ventre.
- à followed by les becomes aux: les pieds — J'ai mal aux pieds.
- à followed by la or l' — no change:
  J'ai mal à la tête.
  J'ai mal à l'oreille.

A rough guide to hypochondria

J'ai de la fièvre.

Je me suis cassé(e) la jambe.

WC J'ai la diarrhée.

J'ai mal au cœur.

J'ai pris un coup de soleil.

Je ne peux pas dormir.

Je suis enrhumé.
J'ai la grippe.

Je mange sain.

Kiss it better

Je mange mal.

	manger plus sain
	arrêter de fumer
Tu dois	ne rien manger
On peut	boire de l'eau
Il faut	rester au lit
	prendre ton inhalateur
	aller chez le docteur
	prendre de l'aspirine

Test your knowledge 1

1 Choose the correct answer for each of these questions.

Comment t'appelles-tu?
A Je m'appelle Napoléon. ✓
B Il s'appelle Napoléon.
C J'adore Napoléon.

1 Où habites-tu?
A J'habite avec ma famille.
B J'habite en France.
C Mon copain habite dans un appartment.

2 Quel âge as-tu?
A J'ai quatorze ans.
B J'ai mon anniversaire.
C J'ai un frère.

3 Tu es de quelle nationalité?
A J'aime la France.
B Je suis français.
C Ma copine s'appelle Francine.

4 Tu parles quelles langues?
A Je parle très fort.
B Je suis fort en langues.
C Je parle français et espagnol.

5 Tu as un animal à la maison?
A Oui, j'ai une grande maison.
B Oui, j'ai un chat.
C Oui, j'ai deux frères.

6 Qu'est-ce que tu portes au collège?
A Je porte un uniforme scolaire.
B Je porte un maillot de bain.
C Je porte des lunettes de soleil.

7 Qu'est-ce que tu fais le soir?
A Je déteste les devoirs.
B Tu as fini tes devoirs?
C Je fais mes devoirs.

(7 marks)

2 Insert the correct family-member word into each sentence.

• un cousin	• sa nièce	• fils
• Le grand-père	• une demi-sœur	• la tante
• un demi-frère	• la sœur	• la femme

The Simpsons
Maggie est la *sœur* de Bart.

a) Patty est .... de Lisa.

b) .... de Bart s'appelle Abe.

c) Homer a .... qui s'appelle Frank.

d) Homer n'est pas .... unique. Il a ...., Herb, et ...., Abbie.

e) Selma aime ...., Lisa.

f) Mona est .... d'Abe.

(8 marks)

3 Read the descriptions and cross out the incorrect adjectives. Take care with the agreements.

a) Mon grand-père est *excentrique* / ~~*excentriques*~~ et un peu *naïf* / *naïve*. Il est *créative* / *créatif* et *obsédé* / *obsédées* par ses inventions *bizarre* / *bizarres*.

b) Ma mère est très *intelligent* / *intelligente* et *responsable* / *responsables*. Elle est *moderne* / *modernes* et à la mode.

c) Ma sœur est très *beau* / *belle* et *calme* / *calmes*. Elle est très *patient* / *patiente* et *loyal* / *loyale*.

d) Mon chien est *amusants* / *amusant*. Il est *blanc* / *blanche* et assez *grand* / *grands*.

(14 marks)

4 Choose the correct preposition to complete the sentences describing the picture.

• à côté de	• ~~sur~~	• derrière	• devant	• sous

Ma sœur est **sur** le sofa.

1 Mon frère est .... le sofa

2 Le chien est .... la table

3 Mon grand-père est .... le sofa

4 La table est .... le sofa

(4 marks)

(Total 33 marks)

Murder in the dark

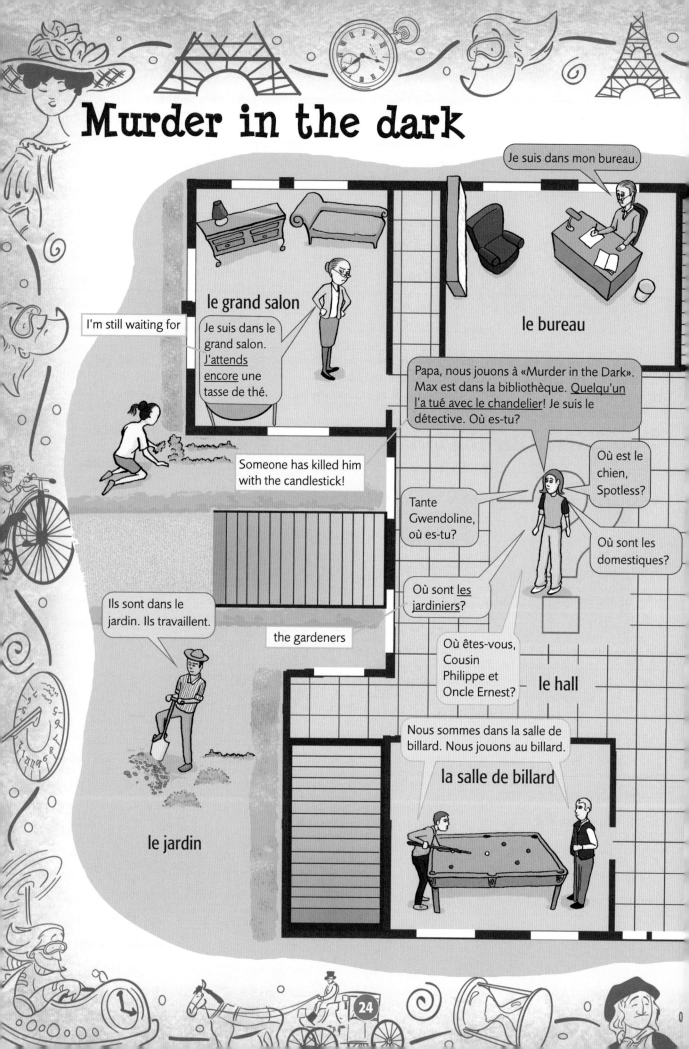

Rooms and areas

le hall	entrance hall	**la salle à manger**	dining room
le salon	sitting room	**la cuisine**	kitchen
le jardin	garden	**la bibliothèque**	library
le bureau	study	**la véranda**	conservatory

Il est dans la véranda.

la véranda

le petit salon

la bibliothèque

la cuisine

Elles sont dans la cuisine. <u>Elles</u> <u>préparent le</u> <u>dîner</u>.

They are preparing dinner.

la salle à manger

Whodunnit?

Use your little grey cells to find out who 'murdered' Max in the game of 'Murder in the Dark'. Read everyone's statements and work out who had it in for the long-suffering housekeeper.

KEY FACTS

⬇ The verb *être* is vitally important. You have to be able to recognise it **and** use it. So you need to learn it by heart.

être *to be*

je suis	I am	**nous sommes**	we are
tu es	you are	**vous êtes**	you are
il est	he is	**ils sont**	they are
elle est	she is	**elles sont**	they are
on est	'one' is		

EXAMINER'S TOP TIPS

Don't forget some of the other phrases where *être* appears. For example:

c'est   it is
c'était   it was

But remember that it is NOT used in some phrases where it appears in English, such as:

il y a   there is, there are

The reluctant babysitter

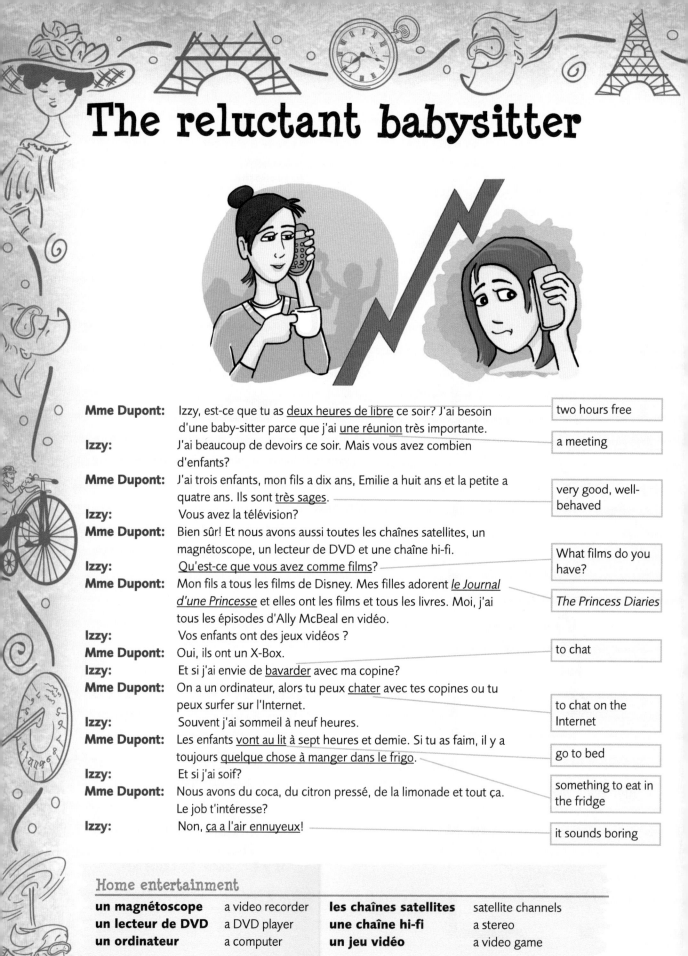

Mme Dupont: Izzy, est-ce que tu as <u>deux heures de libre</u> ce soir? J'ai besoin d'une baby-sitter parce que j'ai <u>une réunion</u> très importante.

Izzy: J'ai beaucoup de devoirs ce soir. Mais vous avez combien d'enfants?

Mme Dupont: J'ai trois enfants, mon fils a dix ans, Emilie a huit ans et la petite a quatre ans. Ils sont <u>très sages</u>.

Izzy: Vous avez la télévision?

Mme Dupont: Bien sûr! Et nous avons aussi toutes les chaînes satellites, un magnétoscope, un lecteur de DVD et une chaîne hi-fi.

Izzy: <u>Qu'est-ce que vous avez comme films</u>?

Mme Dupont: Mon fils a tous les films de Disney. Mes filles adorent <u>le Journal d'une Princesse</u> et elles ont les films et tous les livres. Moi, j'ai tous les épisodes d'Ally McBeal en vidéo.

Izzy: Vos enfants ont des jeux vidéos ?

Mme Dupont: Oui, ils ont un X-Box.

Izzy: Et si j'ai envie de <u>bavarder</u> avec ma copine?

Mme Dupont: On a un ordinateur, alors tu peux <u>chater</u> avec tes copines ou tu peux surfer sur l'Internet.

Izzy: Souvent j'ai sommeil à neuf heures.

Mme Dupont: Les enfants <u>vont au lit</u> à sept heures et demie. Si tu as faim, il y a toujours <u>quelque chose à manger dans le frigo</u>.

Izzy: Et si j'ai soif?

Mme Dupont: Nous avons du coca, du citron pressé, de la limonade et tout ça. Le job t'intéresse?

Izzy: Non, <u>ça a l'air ennuyeux</u>!

two hours free	
a meeting	
very good, well-behaved	
What films do you have?	
The Princess Diaries	
to chat	
to chat on the Internet	
go to bed	
something to eat in the fridge	
it sounds boring	

Home entertainment

un magnétoscope	a video recorder	**les chaînes satellites**	satellite channels
un lecteur de DVD	a DVD player	**une chaîne hi-fi**	a stereo
un ordinateur	a computer	**un jeu vidéo**	a video game

Phrases with avoir

Avoir is used to form the perfect tense but it also features in other phrases where we might use a different verb in English, e.g. *J'ai quatorze ans*, which means 'I'm fourteen' (literally, 'I have fourteen years').

j'ai faim	I'm hungry	**j'ai sommeil**	I'm sleepy
j'ai soif	I'm thirsty	**j'ai de la chance**	I'm lucky
j'ai chaud	I'm warm		
j'ai besoin de	I need	and, of course,	
j'ai envie de	I want		

il y a   there is/there are
(It's VERY important to learn this!)

How many times?

How many times do Mme Dupont and Izzy use *avoir*? Don't forget to include questions and phrases with *avoir*.

	j'ai	tu as	il a/elle a/on a	nous avons	vous avez	ils ont/elles ont	others
Mme Dupont	4						
Izzy							

Excuses, excuses

Karim: Je vais au café. <u>Tu veux</u> venir avec moi, Izzy? — Do you want...?

Izzy: Non, je vais <u>me laver les cheveux</u>. — wash my hair

Karim: Alors, tu veux sortir avec moi demain?

Izzy: Non merci. Je vais <u>promener mon chien</u>. — take the dog for a walk

Karim: Tu vas aller à <u>la boum</u> vendredi soir? — the party

Izzy: Je sors avec mon père. On va au cinéma.

Karim: <u>Si on allait</u> au parc ce week-end? — How about going...?

Izzy: Non, mes copines vont venir chez moi.

Karim: Qu'est-ce que tu vas faire dimanche?

Izzy: Ma cousine va venir. On va déjeuner en famille.

Karim: Et tu es libre après ça?

Izzy: Non, nous allons chercher Tante Gwendoline à l'aéroport. <u>Elle est allée sur la lune</u>. — She's been to the moon

Karim: Tu as <u>du temps libre</u> la semaine prochaine? — free time

Izzy: Je vais faire mes devoirs.

Karim: Tous les soirs?

Izzy: Oui.

Karim: Et qu'est-ce que tu vas faire pendant les vacances?

Izzy: Je vais <u>ranger mon tiroir à chaussettes</u>. — tidy my sock drawer

Karim comprend et il part.

Une semaine <u>plus tard</u>... — later

Izzy: Karim. J'ai dit non, non, non!

Karim: Oui, je sais. <u>Je viens chercher</u> Mathilde. On va à la première de mon nouveau film. — I've come to collect

28

aller

Aller is doubly important to learn. Not only does it mean 'to go'; it is also used to talk about the future, just as you can use 'going to' in English to talk about the future.

Je vais faire la vaisselle.   **I'm going to do** the washing-up.
Nous allons manger plus tard.   **We're going to eat** later.
Est-ce que tu vas aller à la piscine demain?   **Are you going to go** to the swimming pool tomorrow?

A feeble excuse

Here are some of Izzy's excuses for not accepting Karim's invitations. Which three were not in the original text?

1 I'm going to tidy my sock drawer.
2 I'm going to do my homework.
3 We're going to collect Aunt Gwendoline from the airport.
4 I've got a headache.
5 I'm going to wash my hair.
6 A meteorite is about to crash into the earth.
7 I'm having lunch with my family.
8 I'm going to walk my dog.
9 My favourite programme is on TV.
10 I'm going to the cinema with my father.

KEY FACTS

The verb *aller* is irregular, so learn it by heart.

aller	to go		
je vais	I go, I am going	nous allons	we go, we are going
tu vas	you go, you are going	vous allez	you go, you are going
il va	he/it goes, he/it is going	ils vont	they go, they are going
elle va	she/it goes, she/it is going	elles vont	they go, they are going
on va	'one' goes, 'one' is going		

EXAMINER'S TOP TIPS

Aller is used in many phrases. Try to learn some of the more common ones.

Comment allez-vous?   How are you? (literally, 'How are you going?')
Ça va?   How are you? (literally, 'How does it go?')
Ça va bien.   I'm fine. (literally, 'It's going well.')
On y va?   Shall we go?
Allons-y!   Let's go!
Ça te va très bien.   That really suits you.

Diary of a holiday romance

Lundi
Arrivée au camping à deux heures. Nous avons mangé dans un restaurant.

Arrival at the campsite

Mardi
J'ai rencontré une fille au camping. Elle s'appelle Malika et elle est française. Malika a de beaux cheveux. J'ai essayé de parler français avec Malika, mais elle n'a rien compris. J'ai pris beaucoup de photos.

I invited Malika to

Mercredi
J'ai invité Malika à nager, mais elle n'a pas compris. J'ai nagé seul et elle a lu un magazine français. Malika a quatorze ans et elle est très belle.

Jeudi
Le matin, j'ai invité Malika au musée. Elle n'a pas compris et j'ai visité le musée seul.
    L'après-midi, j'ai invité Malika à faire les boutiques, mais elle n'a pas compris et j'ai acheté mes souvenirs seul.
    Le soir, j'ai écrit quelques cartes postales. Seul.

postcards

Vendredi
J'ai trouvé un dictionnaire! J'ai parlé français avec Malika et elle a compris!! J'ai invité Malika à faire une promenade à vélo et elle a accepté!!! Nous avons loué des bicyclettes.
    Le soir, j'ai regardé un film avec Malika et ses frères. C'était un film français comique. Ils ont beaucoup ri mais je n'ai rien compris. J'ai fini mes cartes postales.

It was

Samedi
J'ai passé la journée avec Malika. Nous n'avons rien fait de spécial. J'ai essayé de dire «Je t'aime», mais Malika n'a pas compris. J'ai envoyé une carte postale à mon prof de français. Je lui ai demandé des devoirs pour améliorer mon français.

We didn't do anything in particular

The day of departure

Dimanche
Le jour du départ. J'ai dit au revoir à Malika et elle m'a donné son adresse. Elle m'a dit son numéro de téléphone mais j'ai oublié le numéro. Pendant le voyage, j'ai perdu mon sac. Je n'ai pas l'adresse de Malika, ni ses photos.

The perfect tense with *avoir*

The perfect tense is the most common past tense in French. It is formed by using the present tense of *avoir* (see page 27) or *être* (see page 25) followed by the past participle of the verb.

We'll look first at the perfect tense with *avoir*. Here are some examples that Harry used in his holiday diary:

J'ai regardé un film.	I saw (OR I have seen) a film.
J'ai pris beaucoup de photos.	I took (OR I have taken) lots of photos.
J'ai acheté quelques souvenirs.	I bought (OR I have bought) some souvenirs.
J'ai fini mes cartes postales.	I finished (OR I have finished) my postcards.
J'ai dit au revoir à Malika.	I said (OR I have said) goodbye to Malika.
Elle n'a pas compris.	She didn't understand (OR she has not understood).
Nous avons loué des bicyclettes.	We rented (OR we have rented) some bikes.
Nous avons mangé dans un restaurant.	We ate (OR we have eaten) in a restaurant.
Ils ont beaucoup **ri.**	They laughed (OR they have laughed) a lot.

I came, I saw, I fell in love

Which day did Harry do each of these activities?

1   We hired some bikes.
2   We didn't do anything special.
3   Malika read a magazine.
4   She told me her phone number but I forgot the number.
5   She gave me her address.
6   It was a funny film and they laughed.
7   We ate in a restaurant.
8   During the journey I lost my bag.
9   In the evening I wrote several postcards.
10   I met a girl at the campsite.
11   I saw a film with Malika and her brothers.
12   I tried to speak French.
13   I tried to say 'I love you' but she didn't understand.
14   I said goodbye to Malika.
15   I sent a postcard to my French teacher.
16   I swam on my own.
17   I visited a museum.
18   I found a dictionary.
19   I spoke French with Malika and she understood.
20   I spent the day with Malika.
21   I went souvenir shopping.
22   I asked for more homework to improve my French.

Answers
Monday: 7
Tuesday: 10, 12
Wednesday: 3, 16
Thursday: 9, 17, 21
Friday: 1, 6, 11, 18, 19
Saturday: 2, 13, 15, 20, 22
Sunday: 4, 5, 8, 14

EXAMINER'S TOP TIPS

Many past participles are irregular so you need to learn them by heart.
comprendre → compris
dire → dit
faire → fait

KEY FACTS

To use the perfect tense properly, you need to know the correct past participle.

ER verbs usually have participles ending in é:
manger → mangé

RE verbs usually have participles ending in u:
perdre → perdu

IR verbs usually have participles ending in i:
finir → fini

Party animal

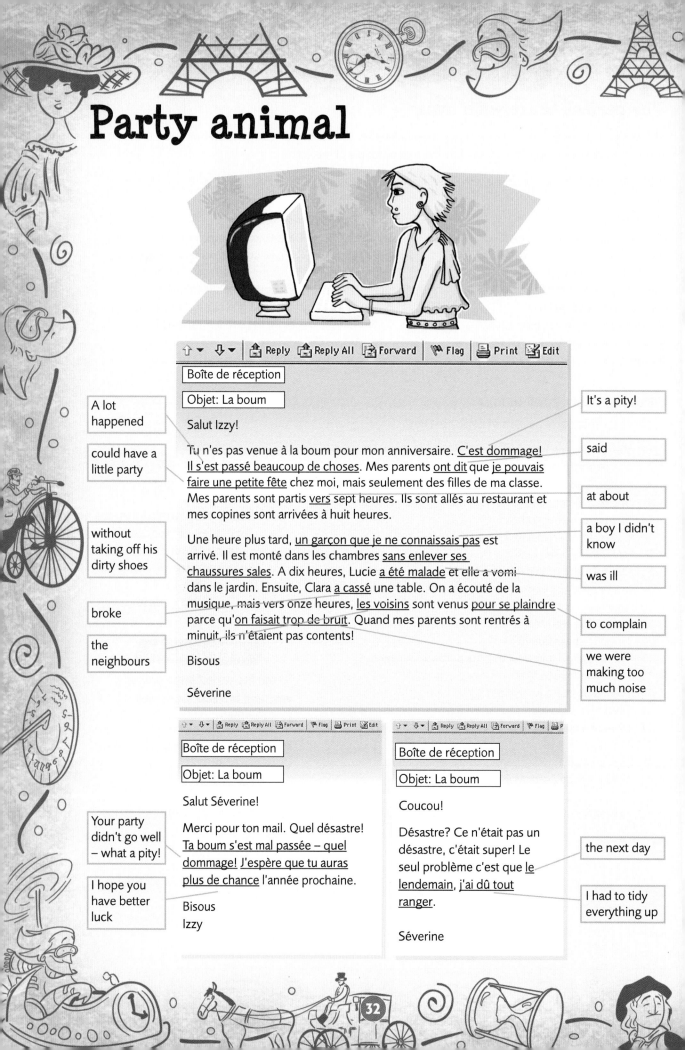

Reply | Reply All | Forward | Flag | Print | Edit

Boîte de réception

Objet: La boum

Salut Izzy!

Tu n'es pas venue à la boum pour mon anniversaire. C'est dommage! Il s'est passé beaucoup de choses. Mes parents ont dit que je pouvais faire une petite fête chez moi, mais seulement des filles de ma classe. Mes parents sont partis vers sept heures. Ils sont allés au restaurant et mes copines sont arrivées à huit heures.

Une heure plus tard, un garçon que je ne connaissais pas est arrivé. Il est monté dans les chambres sans enlever ses chaussures sales. A dix heures, Lucie a été malade et elle a vomi dans le jardin. Ensuite, Clara a cassé une table. On a écouté de la musique, mais vers onze heures, les voisins sont venus pour se plaindre parce qu'on faisait trop de bruit. Quand mes parents sont rentrés à minuit, ils n'étaient pas contents!

Bisous

Séverine

- A lot happened
- could have a little party
- without taking off his dirty shoes
- broke
- the neighbours
- It's a pity!
- said
- at about
- a boy I didn't know
- was ill
- to complain
- we were making too much noise

Reply | Reply All | Forward | Flag | Print | Edit

Boîte de réception

Objet: La boum

Salut Séverine!

Merci pour ton mail. Quel désastre! Ta boum s'est mal passée – quel dommage! J'espère que tu auras plus de chance l'année prochaine.

Bisous

Izzy

- Your party didn't go well – what a pity!
- I hope you have better luck

Reply | Reply All | Forward | Flag | P

Boîte de réception

Objet: La boum

Coucou!

Désastre? Ce n'était pas un désastre, c'était super! Le seul problème c'est que le lendemain, j'ai dû tout ranger.

Séverine

- the next day
- I had to tidy everything up

I came, I saw, I partied

The sentences on the left are all in Séverine's emails. Match them with the correct sentences in English.

1   Les voisins sont venus.
2   Ils sont allés au restaurant.
3   Il est monté dans les chambres.
4   Un garçon est arrivé.
5   Mes copines sont arrivées.
6   Mes parents sont partis.
7   Mes parents sont rentrés.
8   Tu n'es pas venue à la boum pour mon anniversaire.

a)   A boy came.
b)   You didn't come to my birthday party.
c)   They went to a restaurant.
d)   My friends arrived.
e)   My parents left.
f)   He went upstairs to the bedrooms.
g)   The neighbours came.
h)   My parents came home.

The perfect tense with *être*

In her emails, Séverine has mostly used the perfect tense, because she is describing a past event (her birthday party). We saw on page 31 that most verbs take *avoir* in the perfect tense. Many of the verbs Séverine uses take *être*.

The past participles of these verbs have to agree with feminine and plural subjects, just like adjectives. (See page 13 if you need reminding about this.)

Je suis allé au restaurant.	I went to a restaurant. *(man, boy)*
Je suis allée au restaurant.	I went to a restaurant. *(woman, girl)*
Il est arrivé à l'aéroport.	He arrived at the airport.
Elle est partie.	She left.
Nous sommes rentrés.	We went home.

KEY FACTS

☑ **To help you remember which verbs take *être* in the perfect tense, you can learn 12 of them in pairs:**

aller	to go	entrer	to enter
venir	to come	sortir	to go out
arriver	to arrive	rester	to stay
partir	to leave, depart	retourner	to return
monter	to go up	naître	to be born
descendre	to go down	mourir	to die

➡ **The other two verbs that take *être* are:**

tomber	to fall
rentrer	to return home

33

Long live the holidays

En France, les cours commencent à huit heures, donc je me lève à six heures et demie. Je me lave et je prends mon petit déjeuner à sept heures avec mes parents. Mais pendant les vacances je me lève plus tard, à neuf heures. En été, je prends mon petit déjeuner seule, parce que mes parents sont déjà au travail.

Les cours finissent à cinq heures, et puis je prends le goûter chez moi. À huit heures, nous dînons en famille. Normalement je me couche vers neuf heures et demie.

> we have dinner together, as a family

Pendant les vacances je me repose et je m'amuse. J'aide à la maison aussi, par exemple, je lave les voitures. Je vois souvent mes copines. On s'entend bien, mais de temps en temps on se dispute. Ça, c'est normal! Le soir, je regarde la télé et je me couche vers minuit.

En été, les vacances scolaires sont très longues, elles durent deux mois. Donc, comme beaucoup de jeunes français, je vais en colonie de vacances pendant un mois. En colonie, on prend tous les repas à la cantine, mais quelquefois on fait un pique-nique. On se couche à dix heures, mais on bavarde et on se raconte des histoires de fantômes.

> they last

> meals

> we tell each other

Les centres de vacances ont diverses activités comme l'astronomie, la voile, l'équitation ou les camps de cowboys. Pendant la journée, on peut choisir des activités. On s'amuse bien.

> various

> you can choose

Leila

During the holidays

les vacances scolaires	the school holidays
je vois mes copains/copines	I see my friends
on fait un pique-nique	we have a picnic
on bavarde	we chat
la voile	sailing
l'équitation	horse-riding
une colonie de vacances	holiday camp
j'aide à la maison	I help at home

I came, I saw, I went to bed

Which of the following statements about Leila are true?
Write T for the true sentences and F for the false sentences.

During term time

1 Leila gets up at six thirty during school time.
2 She has breakfast at seven o'clock.
3 She has her afternoon snack when she gets home from school.
4 She has dinner at eight o'clock on her own.

During the holidays

5 She has breakfast at seven o'clock.
6 She goes to bed at 9.30.
7 She relaxes and has fun.
8 She argues with her brothers.
9 At the holiday camp she goes to bed at midnight.
10 She and her friends talk and tell each other ghost stories.

Reflexive verbs

Reflexive verbs are quite common in French. Some of the verbs describing daily routine are reflexive.

Je me réveille	I wake up (literally, 'I wake myself up')
Je me lève	I get up (literally, 'I get myself up')
Je m'habille	I get dressed (literally, 'I dress myself')

The pronoun *me* (myself) in these sentences shows that the person is doing the action to himself/herself.
Compare these two sentences:

1 Je me lave.   I wash **myself**.
2 Je lave les voitures.   I wash the cars.

Where in English we use 'each other', you often use a reflexive verb in French.

On s'entend bien.	We get on well with each other.
On se raconte des histoires de fantômes.	We tell each other ghost stories.

EXAMINER'S TOP TIPS

Prendre (to take) is a useful verb in French. In Leila's text it is used for having meals:

Je prends le goûter. I have (take) an afternoon snack.

Apprendre (to learn) and *comprendre* (to understand) are formed in the same way as *prendre*:

J'apprends le français. I'm learning French.
Je comprends la prof quand elle parle lentement. I understand the teacher when she speaks slowly.

KEY FACTS

Reflexive verbs are formed in the same way as ordinary verbs, except that there is a **pronoun** between the subject and the verb. Take se coucher, for example:

se coucher	to go to bed		
je **me** couche	I go to bed	nous **nous** couchons	we go to bed
tu **te** couches	you go to bed	vous **vous** couchez	you go to bed
il/elle **se** couche	he/she/it goes to bed	ils/elles **se** couchent	they go to bed
on **se** couche	'one' goes to bed		

Answers
1 T
2 T
3 T
4 F (with her family)
5 F (after nine o'clock)
6 F (about midnight)
7 T
8 F (with her friends)
9 F (ten o'clock)
10 T

Was there life before TV?

In the nineteenth century

En Europe, la télévision est arrivée dans les maisons pendant les années 50. Mais _que faisaient les gens_ avant? Comment vivait-on sans télé?

what did people do...?

Yet people didn't get bored

Au dix-neuvième siècle, il n'y avait pas d'électricité dans les maisons. _Pourtant, on ne s'ennuyait pas_. Dans les familles riches, _les jeux_ étaient très populaires. Par exemple, on jouait aux cartes ou aux échecs.

games

Il y avait aussi la musique. Beaucoup de gens savaient jouer d'un instrument et organisaient des petits concerts _chez eux_. Si on aimait _les chansons de l'époque_, on ne pouvait pas acheter de CD, alors on achetait _les partitions_ et on jouait la musique.

at home, at their houses

the songs of the time

sheet music

On ne restait pas toujours à la maison le soir. On rendait visite à des amis, on mangeait au restaurant ou on allait au théâtre. On jouait aussi _des petites pièces de théâtre_ à la maison.

little plays

poor

Et les familles _pauvres_? Souvent on se couchait tôt, parce qu'_il n'y avait pas de lumière le soir_.

there was no light in the evenings

At the beginning of the twentieth century

Au début du vingtième siècle, on pouvait aller au cinéma pour voir _des films muets_. Pendant _les années 20_, les gens écoutaient les pièces et les concerts chez eux, à la radio. _De nos jours_, la majorité des familles a _au moins_ un poste de télé. _En plus_, on a un magnétoscope, un lecteur de DVD et des jeux vidéos. Mais tu as peut-être aussi des cartes, un jeu d'échecs et autres jeux chez toi!

silent films

the 1920s

Nowadays

at least

as well

Entertainment

jouer aux cartes	to play cards	**rendre visite à des amis**	to visit friends
jouer aux échecs	to play chess	**manger au restaurant**	to eat at a restaurant
jouer d'un instrument	to play an instrument	**aller au théâtre**	to go to the theatre
jouer du piano	to play the piano	**aller au cinéma**	to go to the cinema
rester à la maison	to stay at home		

The imperfect tense

The imperfect tense is used to describe actions or states that lasted a long time or happened frequently.

The following phrases in the imperfect tense are incredibly useful (and fairly easy to learn):

avoir

j'avais	I had; I used to have; I was having
il/elle avait	he/she had; he/she used to have; he/she was having
il y avait	there was/there were

être

j'étais	I was; I used to be
il/elle était	he/she was; he/she used to be
c'était	it was; it used to be

faire

il faisait	it was (with weather) e.g. *il faisait du soleil*

Que faisais-tu sans la télé?

Izzy had been trying to persuade her father to buy a TV for ages. Finally he caved in and bought one. Izzy is telling someone about what life was like before they bought the TV. Match her sentences with the correct English translations.

1 Je jouais aux cartes et aux échecs.
2 Je faisais mes devoirs.
3 Je rangeais ma chambre.
4 Je devenais folle.
5 Je demandais d'acheter une télé chaque jour.
6 Je me disputais avec mon père.

a) I used to ask every day to buy a TV.
b) I used to go crazy.
c) I used to play cards and chess.
d) I used to argue with my father.
e) I used to do my homework.
f) I used to tidy my bedroom.

KEY FACTS

The imperfect tense is often used with quand followed by the perfect tense to talk about:

☑ **what was happening when something else happened**
Je regardais la télé quand quelqu'un a sonné à la porte.
(I was watching TV when someone rang the doorbell.)

➔ **what time it was when something happened**
Il était tard quand je suis rentré.
(It was late when I got home.)

EXAMINER'S TOP TIPS

You can usually recognise the imperfect tense by the endings:

je ...ais
e.g. je faisais mes devoirs (I used to do my homework)

il/elle/on ...ait
e.g. on jouait la musique (They used to play music)

ils/elles ...aient
e.g. les gens écoutaient les concerts à la radio (people listened to concerts on the radio)

Answers
1 c)
2 e)
3 f)
4 b)
5 a)
6 d)

37

Making learning fun

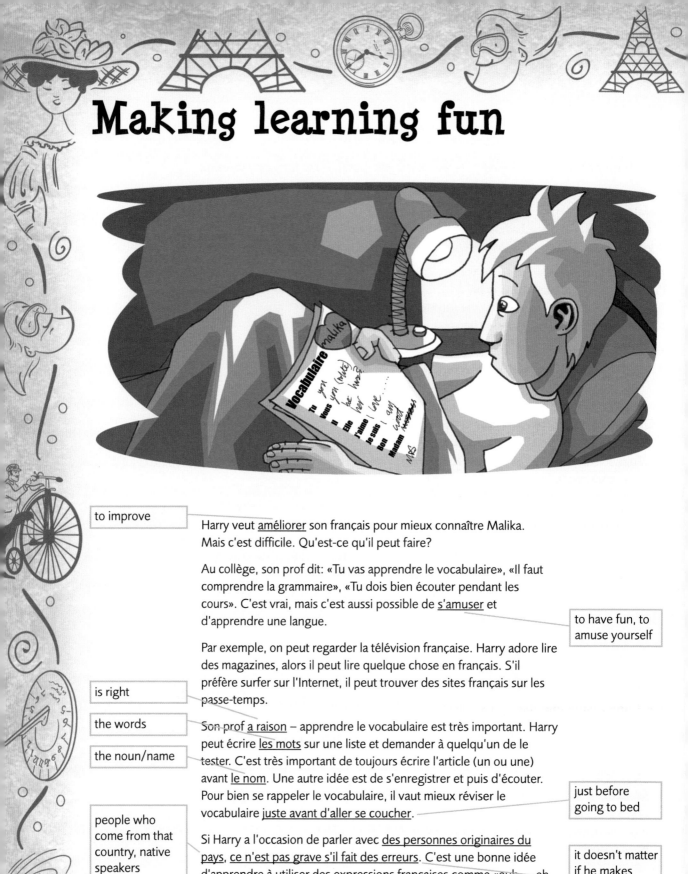

to improve

Harry veut <u>améliorer</u> son français pour mieux connaître Malika. Mais c'est difficile. Qu'est-ce qu'il peut faire?

Au collège, son prof dit: «Tu vas apprendre le vocabulaire», «Il faut comprendre la grammaire», «Tu dois bien écouter pendant les cours». C'est vrai, mais c'est aussi possible de <u>s'amuser</u> et d'apprendre une langue.

to have fun, to amuse yourself

Par exemple, on peut regarder la télévision française. Harry adore lire des magazines, alors il peut lire quelque chose en français. S'il préfère surfer sur l'Internet, il peut trouver des sites français sur les passe-temps.

is right

the words

Son prof <u>a raison</u> – apprendre le vocabulaire est très important. Harry peut écrire <u>les mots</u> sur une liste et demander à quelqu'un de le tester. C'est très important de toujours écrire l'article (un ou une) avant <u>le nom</u>. Une autre idée est de s'enregistrer et puis d'écouter. Pour bien se rappeler le vocabulaire, il vaut mieux réviser le vocabulaire <u>juste avant d'aller se coucher</u>.

the noun/name

just before going to bed

people who come from that country, native speakers

Si Harry a l'occasion de parler avec <u>des personnes originaires du pays</u>, <u>ce n'est pas grave s'il fait des erreurs</u>. C'est une bonne idée d'apprendre à utiliser des expressions françaises comme «euh…, eh bien…, et alors…, bon…, ben…».

it doesn't matter if he makes mistakes

Comment apprendre une langue	How to learn a language
apprendre le vocabulaire	to learn vocabulary
comprendre la grammaire	to understand grammar
bien écouter pendant les cours	to listen carefully during lessons
regarder la télévision française	to watch French TV
lire des magazines français	to read French magazines
trouver des sites français sur l'Internet	to visit French websites on the Internet
écrire les mots sur une liste	to write lists of words
demander à quelqu'un de te tester	to ask someone to test you
toujours écrire l'article (un ou une) avant le nom	to always write the article with the noun
s'enregistrer et puis écouter	to record yourself and then listen
réviser le vocabulaire juste avant d'aller se coucher	to revise vocabulary just before going to bed
parler avec des personnes originaires du pays	to talk to native speakers
essayer de parler la langue même si on fait des erreurs	to try to speak the language even if you make mistakes
apprendre à utiliser des expressions françaises comme «euh…, eh bien…, et alors…, bon…, ben…»	to try to use authentic French speech fillers and expressions

In French there are several incredibly useful phrases that you can use with infinitives. Here are some. Just add an infinitive!

je/tu peux	I/you can
il/elle/on peut	he/she/'one' can
je/tu veux	I/you want
il/elle/on veut	he/she/wants
je/tu dois	I/you must
il/elle/on doit	he/she/'one' must
c'est possible de	it's possible to
c'est une bonne idée de	it's a good idea to
il faut	you have to
il vaut mieux	it's better to

e.g. **il faut apprendre la grammaire avec soin**
e.g. **il vaut mieux réviser le vocabulaire chaque jour**

EXAMINER'S TOP TIPS

Choose three different ways of learning a language from the top of the page. Try a new method every week!

KEY FACTS

The infinitive of a verb is the part you usually find in a dictionary; in English, it's the 'to' form of the verb:

parler	**to speak**
écouter	**to listen**
écrire	**to write**

Where will you do your work experience?

Je vais faire mon stage dans
- une banque
- un bureau
- un café
- un complexe sportif
- une école primaire
- une ferme
- un magasin
- une usine

Je vais faire mon stage avec
- des animaux
- des enfants
- des personnes âgées

Je vais faire mon stage à
- l'étranger
- l'extérieur
- l'intérieur
- la gare

• You can use the same phrases to describe where other people work:

Chandler Bing travaille dans un bureau.

Mes frères travaillent dans une ferme.

How will you get to work?

J'y vais
- à pied
- en bus
- en métro
- en train
- en vélo
- en voiture avec ma

Been there, done that

• Already done your work experience?

J'ai fait mon stage ... (dans une banque).

C'était ... (génial).

Je portais ... (un costume-cravate).

What do you have to wear?
Il faut porter un costume-cravate
un jean et un T-shirt
un uniforme
des vêtements modernes
des combinaisons
de protection

Describing someone's job
• Leave out the article (un/une) before the word for the job:
Hercule Poirot est détective.
Davina McCall est présentatrice.
Je suis étudiant(e).

What do you think it will be like?
Ça va être bien payé
génial
intéressant
mieux que le collège
mal payé
ennuyeux
fatigant
nul
pire que le collège

You can use these phrases to give your opinion of any future plans.

ravail

Qu'est-ce que tu veux faire dans la vie?
Un jour   je voudrais   aller à l'université
Dans dix ans   faire un apprentissage
À l'avenir   préparer mon bac
Après mes études   travailler ... (à la campagne)

Test your knowledge 2

1 Complete these sentences with the relevant part of *être*.

Ma mère travaille dans un collège. Elle *est* professeur.

a) Je .... en vacances avec ma famille.

b) Nous .... en France.

c) Elles .... mes amies.

d) Mon anniversaire, c'............................... le vingt mai.

e) Vous .... les parents de Sébastien, n'est-ce pas?

f) Et toi, tu .... français?　　　　　　　　**(6 marks)**

2 Find the correct phrase to answer each question.

a) Tu as mangé?　　　　　　　　　1　Oui, j'ai de la chance.

b) Tu veux quelque chose à boire?　　2　Non, j'ai faim.

c) Tu te couches déjà?　　　　　　　3　Non, j'ai trop chaud.

d) Tu as gagné à la loterie?　　　　　4　Oui, j'ai soif.

e) Il fait beau aujourd'hui – tu aimes ça?　5　Oui, j'ai sommeil.

a) 2

b)

c)

d)

e)　　　　　　　　　　　　　　　　　　　**(4 marks)**

3 Unscramble the infinitives to find out what these people are going to do at the weekend.

　　　　ARIFE
Je vais *faire* la vaisselle.
　　　　　　GERMAN
a) Nous allons .... au McDo.
　　　　　CHEATER
b) Ma sœur va .... un journal.
　　　　　　NERDREP
c) Mon frère va .... une douche.
　　　　　RIVO
d) Ma mère va .... un film au cinéma.
　　　　　　STIVERI
e) Ils sont en vacances et ils vont .... des musées.
　　　　　LAREL
f) Mon père va .... chez le coiffeur.
　　　　RIFIN
g) Tu vas .... tes devoirs?　　　　　　**(7 marks)**

4   Read Esmée's story about Antoine's party.

Antoine a organisé une boum pour son anniversaire. Il a invité Nabila et moi à sa fête. Je suis allée en ville avec Nabila et elle a cherché un cadeau pour Antoine. Nous avions faim et nous avons mangé dans un restaurant. Puis nous avons acheté du maquillage et des vêtements. Nabila a oublié le cadeau pour Antoine!

Nabila est arrivée à la fête et elle a dit: «Pardon, mais j'ai perdu ton cadeau.» A la fête tout le monde a beaucoup parlé et dansé. Puis on a écouté de la musique et la boum a fini à minuit.

Which three things are NOT mentioned in the story?

a)   Antoine organised a birthday party.

b)   He invited Nabila.

c)   He chose the music.

d)   Esmée and Nabila went into town.

e)   Nabila looked for a present.

f)   She looked at the books.

g)   Esmée and Nabila were hungry and had a meal in a restaurant.

h)   Esmée and Nabila bought make-up and clothes.

i)   Nabila forgot to get a present.

j)   She arrived at the party.

k)   She told Antoine she'd lost his present.

l)   Antoine said it didn't matter.

m) Everyone chatted and danced at the party.

n)   They listened to music and the party finished at midnight.

(3 marks)

(Total 20 marks)

All about France

La France est dans l'ouest de l'Europe. C'est un pays où il y a des régions <u>urbaines, forestières, montagneuses, côtières et rurales</u>.

| urban, forested, mountainous, coastal and rural |

Le climat y est variable. À la montagne, il neige en hiver: on peut y faire du ski. Dans le sud de la France, il y a la mer Méditerranée et, sur la côte, il fait beau presque tous les jours.

Il y a beaucoup de villes et grandes villes en France. La majorité de la population habite en ville. Il y a aussi plusieurs régions industrielles. On y <u>fabrique</u>, par exemple, les voitures Renault et Citroën.

| manufacture, make |

La France est un pays multiculturel et on y parle plusieurs langues. <u>La plupart</u> des gens parlent français, mais dans l'ouest de la France, en <u>Bretagne</u>, on parle breton. On parle aussi basque dans le sud-ouest et alsacien dans l'est.

| the majority |

| Brittany |

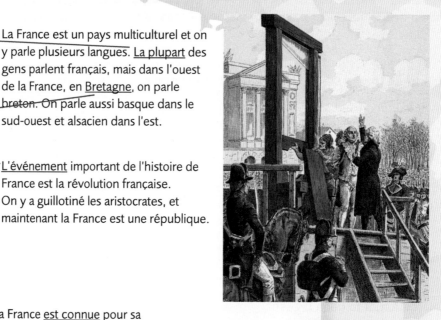

<u>L'événement</u> important de l'histoire de France est la révolution française. On y a guillotiné les aristocrates, et maintenant la France est une république.

| the event |

La France <u>est connue</u> pour sa cuisine et pour ses vins. Tout le monde connaît le steak-frites et <u>les crêpes</u>, mais <u>l'un des plats préférées</u> des Français est le couscous, un plat d'Afrique du Nord. La région de Bordeaux est connue pour ses vins. On y cultive les raisins pour faire du vin, surtout du vin rouge.

| is well-known |

| pancakes |

| one of the favourite dishes |

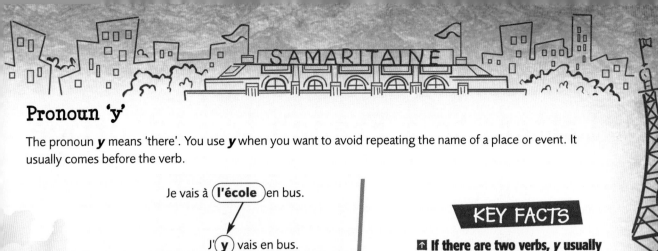

Pronoun 'y'

The pronoun **y** means 'there'. You use **y** when you want to avoid repeating the name of a place or event. It usually comes before the verb.

Je vais à (**l'école**) en bus.

J'(**y**) vais en bus.

KEY FACTS

⬆ **If there are two verbs, *y* usually comes before the second:**

On peut y faire du ski.

Elle passe tout l'été (**en France**).

Elle (**y**) passe tout l'été.

Nous allons (**au théâtre**) avec Nabila.

Nous (**y**) allons avec Nabila.

There, there, there

Look back at the text. What does *y* refer to in each of these sentences?

1 Le climat y est variable.   *France*
2 On y fabrique les voitures.
3 On y parle plusieurs langues.
4 On peut y faire du ski.
5 On y a guillotiné les aristocrates.
6 On y cultive les raisins.

EXAMINER'S TOP TIPS

Y also appears in the phrase *il y a* ('there is, there are'):
Il y a beaucoup de villes et grandes villes en France.

Make a list of other useful phrases in which
y appears, e.g.
il y avait   there was, there were
ça y est!   that's it!
vas-y!   go on!

Answers
2 the industrial regions
3 France
4 the mountains
5 the French Revolution
6 Bordeaux

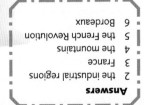

Letters to a French tourist office

23, Arbroath Drive,
Swinesmeade
Rowlingshire
JK99 1RK

I would like

Madame, Monsieur,

Je voudrais passer mes vacances d'été dans votre région. Pourriez-vous m'envoyer des renseignements sur les campings et les sites touristiques? Je m'intéresse surtout aux magiciens et aux sorcières. Où habitent les magiciens et les sorcières en France?

your (formal)

Thank you in advance

Merci d'avance.

Yours faithfully,

Veuillez agréer, Madame/Monsieur, l'expression de mes sentiments distingués.

Douglas Macdonald

Comité Régional du Tourisme
55, Promenade des Anglais
06011 NICE

Cher Monsieur Macdonald,

I'm sorry to tell you that you are mistaken

Merci bien pour votre lettre mais je regrette de vous dire que vous vous trompez: il n'y pas de magiciens en France. Vous pouvez quand même venir dans notre beau pays pour visiter les musées, les plages et les montagnes, ou pour faire les boutiques; et bien sûr, pour déguster nos vins et notre cuisine. Et surtout pour voir notre beau paysage.

to taste our wines and our cuisine

Mais j'insiste, il n'y pas ni magiciens ni sorcières en France.

Je vous prie d'agréer, Monsieur, l'expression de mes meilleurs sentiments.

Jacques Martin

23, Arbroath Drive,
Swinesmeade
Rowlingshire JK99 1RK

I am sure

Thank you for replying

Cher Monsieur Martin,

Je vous remercie pour votre réponse. Je suis sûr qu'il y a beaucoup de magiciens et de sorcières en France. J'habite près du collège Hogwarts en Écosse et je connais quelques magiciens et sorcières. Ils viennent chez moi pour manger des gâteaux au chocolat.

I know

Où se trouve exactement Beauxbatons, le collège pour magiciens et sorcières? Est-ce que les magiciens et les sorcières mangent aussi du gâteau au chocolat en France? Et qu'est-ce qu'ils font le week-end? Ils restent à la maison, ou ils vont à la plage?

what do they do...?

Merci d'avance. Cordialement

do they go...?

Douglas

Kind regards

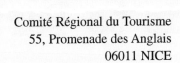

Comité Régional du Tourisme
55, Promenade des Anglais
06011 NICE

Cher Monsieur Mockdooning,

Il n'y a pas de magiciens en France. Donc, ils ne mangent rien. Ils ne vont jamais à la plage. Personne ne connaît le collège Hogwarts. Et le collège Beauxbatons n'existe pas.

Alors, NE ME PARLEZ PLUS DE MAGICIENS ET DE SORCIÈRES.

jE voUs PR*ie d'A@gRéeR, MaG#iCi!!eN,

Jacques Martin

Negatives

Negatives in French usually consist of two parts, either side of the verb. Look how these examples are used in the letters:

ne ... pas not
Ils **n**'éxistent **pas.**   (They don't exist.)
Il **n**'y a **pas** de magiciens en France.   (There are no wizards in France.)

ne ... rien nothing
Ils **ne** mangent **rien**.   (They don't eat anything. / They eat nothing.)

ne ... jamais never
Ils **ne** vont **jamais** à la plage.   (They never go to the beach.)

ne ... plus   not any more, any longer
Ne me parlez **plus** de magiciens et de sorcières.   (Don't talk to me any more about wizards and witches.)

ni ... ni ...   neither ... nor ...
Il n'y a pas **ni** magiciens **ni** sorcières en France. (There are neither wizards nor witches in France.)

ne ... personne   no one
Personne ne connaît le collège Hogwarts. (No one knows Hogwarts School.)

KEY FACTS

↑ **Learning negatives means you instantly double the amount of vocabulary you know!**

→ **Douglas est amusant.   (Douglas is funny.)**

↓ **Douglas n'est pas amusant.   (Douglas is not funny.)**

EXAMINER'S TOP TIPS

You might need to read a formal letter in French, for example, to a tourist information office or a hotel. The beginnings and endings used in letters are very long and formal in French, so learn to recognise them.

A day trip to Paris

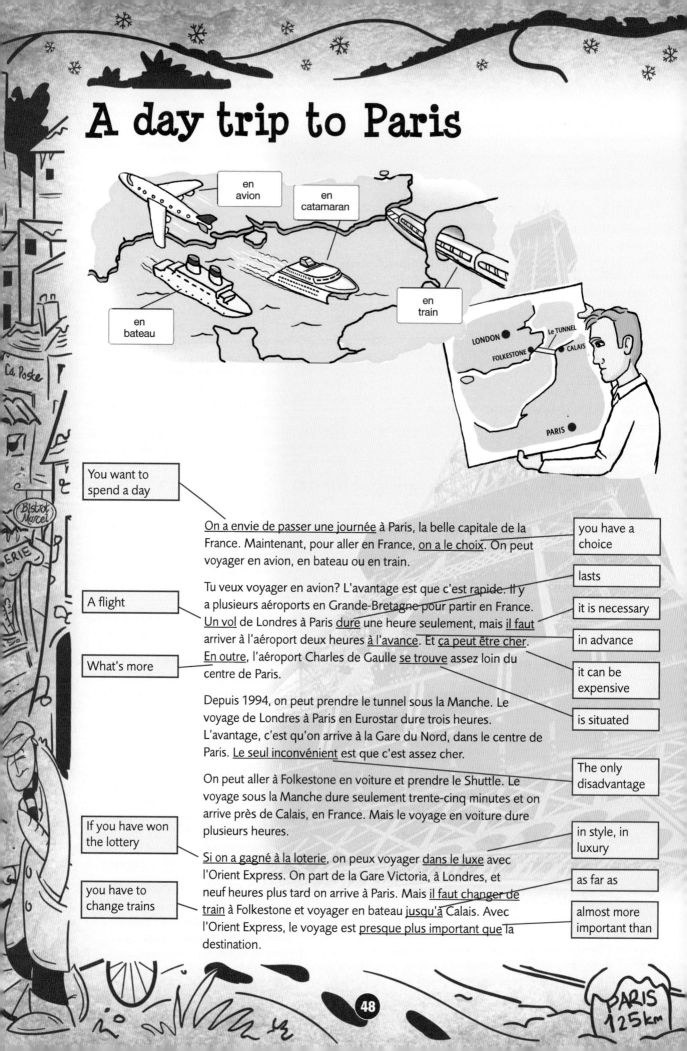

en avion

en catamaran

en bateau

en train

LONDON
FOLKESTONE
Le TUNNEL
CALAIS
PARIS

You want to spend a day

On a envie de passer une journée à Paris, la belle capitale de la France. Maintenant, pour aller en France, on a le choix. On peut voyager en avion, en bateau ou en train.

you have a choice

A flight

Tu veux voyager en avion? L'avantage est que c'est rapide. Il y a plusieurs aéroports en Grande-Bretagne pour partir en France. Un vol de Londres à Paris dure une heure seulement, mais il faut arriver à l'aéroport deux heures à l'avance. Et ça peut être cher. En outre, l'aéroport Charles de Gaulle se trouve assez loin du centre de Paris.

lasts

it is necessary

in advance

it can be expensive

is situated

What's more

Depuis 1994, on peut prendre le tunnel sous la Manche. Le voyage de Londres à Paris en Eurostar dure trois heures. L'avantage, c'est qu'on arrive à la Gare du Nord, dans le centre de Paris. Le seul inconvénient est que c'est assez cher.

The only disadvantage

On peut aller à Folkestone en voiture et prendre le Shuttle. Le voyage sous la Manche dure seulement trente-cinq minutes et on arrive près de Calais, en France. Mais le voyage en voiture dure plusieurs heures.

If you have won the lottery

Si on a gagné à la loterie, on peux voyager dans le luxe avec l'Orient Express. On part de la Gare Victoria, à Londres, et neuf heures plus tard on arrive à Paris. Mais il faut changer de train à Folkestone et voyager en bateau jusqu'à Calais. Avec l'Orient Express, le voyage est presque plus important que la destination.

in style, in luxury

as far as

almost more important than

you have to change trains

To go

There are various ways of saying 'to go' in French:

aller to go (see page 29)
Je vais à l'école en métro.

voyager to travel (usually describes longer journeys)
Je vais **voyager** en avion.

partir to leave
Le train part à dix heures.

prendre to take
Je prends le bus pour aller en ville.

KEY FACTS

There are some phrases in French that use a different verb where we might use 'to go' in English:

↗ faire une promenade à vélo
   faire du vélo } to go for a bike ride

→ faire les magasins   to go shopping

↘ faire du ski   to go skiing

For and against

Put these advantages and disadvantages of the various forms of transport into the correct box in the table.

- ~~C'est rapide.~~
- C'est assez cher.
- Le voyage sous la Manche dure seulement trente-cinq minutes.
- On arrive à la Gare du Nord, dans le centre de Paris.
- Tu peux voyager dans le luxe.
- Il faut arriver à l'aéroport deux heures à l'avance.
- Le voyage dure neuf heures.
- Le voyage en voiture dure plusieurs heures.

Aller à Paris ...	Avantages	Inconvénients
en avion	*C'est rapide.*	
en voiture en prenant le Shuttle		
en Eurostar		
par l'Orient Express		

EXAMINER'S TOP TIPS

Write down some sentences describing how you travel to places and memorise them.

Je vais à l'école en vélo.
Je vais chez ma grand-mère en bus.
Je vais en ville en métro.

Aller à Paris ...	Avantages	Inconvénients
en avion	C'est rapide.	Il faut arriver à l'aéroport deux heures à l'avance.
en voiture en prenant le Shuttle	Le voyage sous la Manche dure seulement trente-cinq minutes.	Le voyage en voiture dure plusieurs heures.
en Eurostar	On arrive à la gare du Nord, dans le centre de Paris.	C'est assez cher.
par l'Orient Express	Tu peux voyager dans le luxe.	Le voyage dure neuf heures.

Answers

Paris for teenagers

PARIS POUR LES JEUNES

you read

Dans les guides, on lit «Visitez le Musée d'Orsay, l'Arc de Triomphe, ou le Panthéon». C'est vraiment intéressant pour les ados?

did you know...?

ice skating

the glass lifts

Par exemple, tout le monde visite la Tour Eiffel à Paris, mais saviez-vous qu'en hiver on peut y faire du patin à glace? De la Tour Eiffel, il y a aussi une belle vue sur Paris, mais montez aussi dans les ascenseurs en verre de la Grande Arche de la Défense.

want

the *Mona Lisa*

Les adultes veulent visiter le Musée du Louvre pour voir *La Joconde* de Léonard de Vinci, mais il y a des musées plus intéressants pour les jeunes. Par exemple, le Musée de la Curiosité et de la Magie, ou le Jardin des Plantes avec son musée de dinosaures. Si vous vous intéressez à la science

If you are interested in

a 180-degree screen

the Museum of the Sewers

still underground

skeletons

was situated

et la technologie, visitez la Cité des Sciences et de l'Industrie. Là-bas, vous pouvez découvrir des inventions ou regarder un film sur un écran de 180 degrés. Un autre musée bizarre est le Musée des Egouts de Paris. Après ça, encore sous la terre , visitez les catacombes pour voir les six millions de squelettes. N'oubliez pas la Place de La Concorde où se trouvait la guillotine pendant la révolution française.

Quand vous avez faim, il y a un grand choix des restaurants, mais au coin de chaque rue vous pouvez acheter une crêpe. Il y a aussi le restaurant Le Ciel de Paris, au 56ème étage de la Tour Montparnasse, mais c'est plus cher.

on the corner of every street

The Sky of Paris

on the 56th floor

PARIS 125km

you perhaps need

Après ça, vous avez peut-être besoin de faire un peu de sport. Le vendredi soir, faites comme les jeunes Parisiens et parcourez Paris en roller. S'il fait mauvais, allez au bowling de Montparnasse. Pour ceux qui préfèrent les sports électroniques, visitez le centre du Séga, la Tête dans les Nuages pour jouer aux jeux vidéos.

travel across Paris on rollerskates

Head in the Clouds

gargoyles

Visitez la cathédrale Notre-Dame pour voir les gargouilles.

Pas loin, il y a Disneyland Paris. Mais Mickey Mouse est une souris américaine qui ne parle pas le français. Si vous préférez un parc d'attractions français, choisissez le Parc Astérix.

If you want to know more

Si vous voulez en savoir plus sur Paris, visitez *France Miniature*. Vous pourrez voir tous les monuments en miniature.

Imperatives: the vous form

Imperatives are used to give orders or instructions. They are the same as the *vous* form of the present tense of the verb, but without *vous*:

present tense	*imperative*
vous visitez *you visit*	**visitez!** *visit!*
vous montez *you go up*	**montez!** *go up!*
vous choisissez *you choose*	**choisissez!** *choose!*
vous faites *you do*	**faites!** *do!*
vous parcourez *you cross*	**parcourez!** *cross!*
vous allez *you go*	**allez!** *go!*

EXAMINER'S TOP TIPS

Learn to recognise the French names of famous towns and tourist sights because examiners often include them in tests.

KEY FACTS

You've probably heard your French teacher use imperatives in class to give instructions, like this:

🔺 **Écoutez bien!**

🔻 **Rangez vos affaires!**

🔻 **Écrivez les réponses!**

Buying a guide book

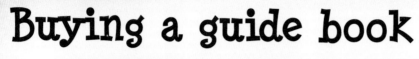

Dans une librairie à Paris...

Ralph:	Bonjour.	
Vendeur:	Bonjour, monsieur. Puis-je vous aider?	
Ralph:	Oui j'espère. Je cherche un guide touristique.	
Vendeur:	Pour quelle ville ou quel pays?	
Ralph:	Pour Paris, s'il vous plaît.	
Vendeur:	Quelle sorte de guide? Grand ou petit? Pour enfants, pour adultes, pour ceux qui aiment l'art, pour les fans des monuments, pour les experts en vin?	
Ralph:	Ben, en fait, c'est pour moi.	
Vendeur:	Et qu'est-ce vous voulez faire pendant votre séjour à Paris – visiter les musées, faire les boutiques, admirer nos églises et cathédrales, faire des promenades?	
Ralph:	Oui, c'est ça – je voudrais faire des promenades.	
Vendeur:	Et cher ou bon marché? Combien voulez-vous dépenser?	
Ralph:	Ça n'a pas d'importance!	
Vendeur:	Nous avons un grand choix de livres, regardez!	

Le vendeur montre tous les guides de Paris. Ralph feuillette avec soin tous les livres.

Vendeur:	Vous avez trouvé quelque chose qui vous convient?
Ralph:	Non, je regrette.
Vendeur:	Mais il y a ici une douzaine de livres. Qu'est-ce que vous cherchez?
Ralph:	Je cherche un guide qui m'explique comment trouver mon hôtel. J'ai oublié où se trouve mon hôtel.
Vendeur:	Comment s'appelle-t-il, votre hôtel?
Ralph:	Je ne me rappelle pas. L'Excellent...? L'Excalibur...?
Vendeur:	L'Excelsior, peut-être?
Ralph:	Oui, c'est ça, l'Excelsior!
Vendeur:	Alors, monsieur, tournez à gauche. Traversez la rue et allez tout droit. Puis prenez la deuxième rue à droite, et vous y êtes!
Ralph:	Je ne sais comment vous remercier, monsieur!

Vocabulary (side notes):

- a bookshop
- Can I...?
- I hope so
- I'm looking for
- your stay
- I'd like
- cheap
- to spend
- leafs through carefully
- something suitable
- a dozen
- What are you looking for?
- how to find my hotel
- I've forgotten
- I don't know how to thank you

PARIS 125km

Ralph at large in Paris

Read the dialogue again. What is Ralph's answer to each of the assistant's questions?

1   Can I help you?
   a)   Yes, I hope so.   ✔
   b)   Probably not.
   c)   Yes I'm desperate.

2   For which town or country?
   a)   For Texas, please.
   b)   For Peterborough, please.
   c)   For Paris, please.

3   What sort of guide?
   a)   It's for people who like wine.
   b)   It's for art lovers.
   c)   It's for me.

4   And what do you want to do?
   a)   I want to go for walks.
   b)   I want to go shopping.
   c)   I want to look at churches and cathedrals.

5   How much do you want to spend?
   a)   It doesn't matter how much.
   b)   I don't want to spend anything.
   c)   I don't want to pay the import duty.

6   Have you found something suitable?
   a)   I don't want a suit.
   b)   No, I'm sorry.
   c)   Yes, thanks.

7   What is your hotel called?
   a)   I want to have a rest.
   b)   I don't remember.
   c)   I don't want a meal.

KEY FACTS

On page 51 we saw how imperatives are used to give orders and instructions. They are also frequently used to give directions to lost tourists:

⬆ **Tournez à gauche.**   *Turn left.*

➡ **Traversez la rue.**   *Cross the road.*

⬇ **Allez tout droit.**   *Go straight ahead.*

⬆ **Prenez la deuxième rue à droite.**
   Take the second road on the right.

EXAMINER'S TOP TIPS

Giving directions is one of the topics where you need to be able to take on the role of the person asking for directions **and** the person giving them. Write down and memorise some useful phrases to ask for and give directions.

At the railway station

Ralph:	Bonjour.
Guichet:	Bonjour, puis-je vous aider? — Can I help you?
Ralph:	Oui, je voudrais acheter un billet, s'il vous plaît.
Guichet:	C'est pour aller où?
Ralph:	Je vais à Montpellier.
Guichet:	Aller-simple ou aller-retour?
Ralph:	Un aller-retour.
Guichet:	Première classe ou seconde?
Ralph:	En seconde, s'il vous plaît.
Guichet:	Par quel train, le TGV ou le Train Corail?
Ralph:	Le TGV, s'il vous plaît.
Guichet:	Il faut payer un supplément de 20€. — You have to
Ralph:	D'accord. — That's fine
Guichet:	Préférez-vous une place fumeur ou non-fumeur?
Ralph:	Je préfère non-fumeur.
Guichet:	Comment est-ce que vous allez payer – carte de crédit, argent liquide, chèque, chèque de voyage ou devises étrangères? — cash / traveller's cheque / foreign currency
Ralph:	Carte de crédit. Vous acceptez la carte American Express?
Guichet:	Bien sûr. Quand voulez-vous voyager?
Ralph:	Je veux partir dans une heure. Je dois arriver à Montpellier avant dix-huit heures ce soir. — I have to
Guichet:	Ce soir?
Ralph:	Oui. De quel quai part le train?
Guichet:	Ah, je regrette, ce n'est pas possible. — a full
Ralph:	Le train est complet? — a strike
Guichet:	Non, le train ne part pas, monsieur. Aujourd'hui il y a une grève.

PARIS 125km

Travelling by train

un billet	a ticket
un aller-simple	a single
un aller-retour	a return
le TGV	(<u>T</u>rain à <u>G</u>rande <u>Vi</u>tesse) high-speed train
le Train Corail	fast train
un supplément	a supplement
le quai	the platform
en première (classe)	in first class
en seconde (classe)	in second class
une place fumeur ou non-fumeur?	smoking or non-smoking?

Saying what you want

Learn to recognise the questions that go with phrases like *je veux* and *je préfère*.

Questions	Réponses
Voulez-vous...?	**Je veux...**
Quand voulez-vous voyager?	Je veux partir a vingt heures.
Préférez-vous...?	**Je préfère...**
Préférez-vous une place fumeur ou non-fumeur?	Je préfère non-fumeur.
Voudriez-vous...?	**Je voudrais...**
Voudriez-vous quelque chose à boire?	Je voudrais un café.

At the ticket office

Explain what happened to the man at the railway station.

KEY FACTS

Remember that there are other ways of saying you want something, so try not to use the same phrase for 'I want' all the time:

J'aimerais…	I'd like…
J'ai envie de…	I'd like to…
J'ai besoin de…	I need…
Je dois…	I must…
Je cherche…	I'm looking for…

Answers

The man is trying to buy a train ticket, and the ticket clerk asks him whether he wants a single or return ticket, first class or second class, what sort of train he wants to go on, how he wants to pay etc. Only when he has gone through all this does the clerk say that there are no trains today because of a strike.

Interplanetary weather forecast

Bonjour à tous. Maintenant, voici la météo pour aujourd'hui dans le système solaire. — **the weather forecast**

Aujourd'hui, sur la planète Mercure, il fait du soleil. Hier, il faisait du soleil. Demain, il va faire du soleil. Il fait toujours du soleil pendant la journée sur Mercure parce qu'elle est à côté du soleil. — **a close to**

Maintenant, la planète Vénus. Aujourd'hui, sur Vénus, il fait chaud, très, très chaud. Vénus est assez proche du soleil, donc il fait chaud. Mais il pleut souvent sur Vénus. Alors, n'oubliez pas votre parapluie parce que la pluie contient de l'acide sulfurique! — **don't forget your umbrella**

the rain contains sulphuric acid

Et quel temps fait-il sur Mars? Il fait froid. Il fait du soleil mais le soleil est trop loin pour réchauffer la planète. Hier, il faisait froid et demain il va faire froid. Il neige un peu aussi. — **warm up**

Sur Jupiter, il y a un orage. Hier, il y avait un orage et demain il y aura encore un orage. — **there will be**

Sur Saturne, il y a des nuages et du brouillard aujourd'hui. Il fait mauvais. — **clouds**

Et quel temps faisait-il hier sur Uranus et Neptune? Il faisait beaucoup de vent. Il fait toujours du vent sur ces deux planètes. — **it's icy and it will snow**

Sur Pluton, aujourd'hui, il fait froid. Il gèle et il va neiger peut-être un peu, mais la neige contient du méthane gelé. — **the snow contains frozen methane**

Earth

not as cold as

Et sur notre planète, la Terre? Il y a des endroits froids (mais pas aussi froid que sur Pluton) et des endroits chauds (mais pas aussi chaud que sur Mercure). Notre climat est très varié. Pendant la journée, le soleil brille mais il y a parfois des nuages. Pendant la nuit, il fait plus froid et il pleut beaucoup, mais en général il fait beau sur la Terre. — **places** — **varied**

Time expressions	
aujourd'hui	today
hier	yesterday
demain	tomorrow
toujours	always
souvent	often
pendant la journée/nuit	during the day/night
maintenant	now

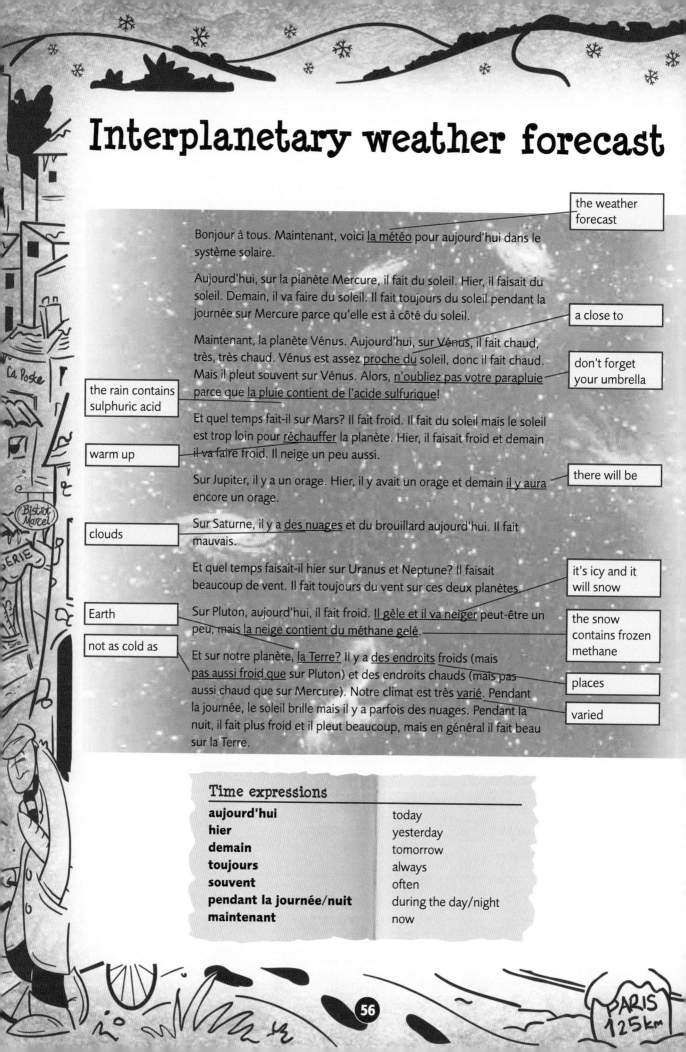

The weather yesterday, today and tomorrow

Use your knowledge of the tenses to put each weather phrase into the correct column.
One has been done for you.

- il faisait beau
- il fait du brouillard
- il fait froid
- il va faire beau

- il va faire froid
- il faisait du brouillard

- ~~il va faire du brouillard~~
- il faisait froid
- il va faire du vent

- il fait beau
- il fait du vent
- il faisait du vent

	imperfect tense	present tense	future tense

			il va faire du brouillard

KEY FACTS

Faire is another common and important verb that you need to be able to recognise and use. In this unit you have seen it used to describe the weather.

faire	*to do, to make*		
je fais	**I do (or I make)**	nous faisons	**we do**
tu fais	**you do**	vous faites	**you do**
il/elle fait	**he does**	ils/elles font	**they do**
on fait	**'one' does**		

EXAMINER'S TOP TIPS

You may meet other more complicated phrases in a reading or listening exam, but your knowledge of the basic weather vocabulary should help you guess their meaning:

il y a un orage   there's a storm

orageux   stormy

il fait du soleil   the sun is shining

ensoleillé   sunny

A letter of complaint

33 Bramble Drive
Oxford
OX42 1RE

Monsieur Durand
102, Promenade des Arts
Hôtel de la Plage
06200 Cannes

Oxford, le 1er Septembre

Monsieur,

I spent

We had made

En août, j'ai passé mes vacances d'été dans votre hôtel. Nous avions fait une réservation et quand nous sommes arrivés, nos chambres étaient prêtes.

I shared

clean

J'ai partagé une chambre avec mon frère mais il y avait deux lits confortables et la chambre était grande. La douche marchait bien et les serviettes étaient propres. La vue du balcon sur la mer était superbe.

beds

worked

The view from the balcony

Les repas, à l'hôtel, étaient délicieux et le service était rapide. Nous avons essayé beaucoup de plats régionaux.

We tried

regional dishes

Le jardin de l'hôtel était très joli, et la piscine chauffée était immense. Comme toujours dans le sud de la France, il y avait du soleil et il faisait chaud.

Le soir, il y avait toujours quelque chose à faire pour les jeunes. Sinon, il y avait la télévision dans la chambre avec toutes les chaînes satellites.

We learn how to complain and say

a fly

aren't working

Et donc, pourquoi est-ce que je vous écris? Parce que je n'étais pas content. Au collège, en Angleterre, j'apprends le français. On apprend à se plaindre et à dire: la salle de bain est sale; il y a une mouche dans ma soupe; quelqu'un a volé mon passeport; les toilettes ne marchent pas; et tout ça. Mais tout s'est bien passé pendant mes vacances. C'est un scandale! Comment peut-on pratiquer son français sans votre coopération?

dirty

has stolen

everything went well

I am really disappointed and I await your apology

Je suis vraiment déçu, Monsieur, et j'attends votre lettre d'excuses.

How can we practise our French...?

Daniel Hughes

At a hotel

le balcon	balcony	**la chambre**	bedroom
le jardin	garden	**la salle de bain**	bathroom
la douche	shower	**la salle à manger**	dining room
la piscine chauffée	heated swimming pool		

The imperfect tense

On page 37 we looked in detail at the imperfect tense. Here the most common imperfect forms have been used for the majority of the complaints.

il était (le jardin était...)   it was (the garden was...)
elle était (la chambre/la vue était...)   it was (the room/the view was...)

ils étaient (les repas étaient...)   they were (the meals were...)
elles étaient (les serviettes étaient...)   they were (the towels were...)

il y avait   there was, there were

il faisait   the weather was

Complaints or compliments?

Decide whether each of the sentences below is a complaint or a compliment.

EX: Les chambres n'étaient pas prêtes.   (Complaint)/ Compliment

1   Les serviettes étaient sales.   Complaint/ Compliment

2   La piscine n'était pas chauffée.   Complaint / Compliment

3   Chaque jour il faisait beau.   Complaint / Compliment

4   Les plats étaient délicieux.   Complaint / Compliment

5   Il n'y avait rien à faire pour les ados. Complaint / Compliment

EXAMINER'S TOP TIPS

In his letter Daniel is complaining that there is nothing to complain about! You could adapt the first part of his letter to describe a really great holiday.

KEY FACTS

You can change a compliment to a complaint (or vice versa) by using a negative.

☑ **L'hôtel était confortable.**

➡ **L'hôtel n'était pas confortable.**

☑ **Il y avait une belle vue du balcon.**

➡ **Il n'y avait pas de vue du balcon.**

Answers
Example: Complaint (The bedrooms were not ready.)
1   Complaint (The towels were dirty.)
2   Complaint (The swimming pool was not heated.)
3   Compliment (Every day the weather was good.)
4   Compliment (The dishes were delicious.)
5   Complaint (There was nothing to do for teenagers.)

Comparatives

In English

Comparative adjectives are used to compare people or things:

taller than

more interesting than

less expensive than

To say that things are equal, use as (+adjective) as:

as intelligent as

In French

Most comparatives in French consist of two words:

plus (+ adjective) que

moins (+ adjective) que

Ralph est plus grand qu'Izzy.

(Ralph is taller than Izzy.)

Spotless est moins intelligent que le chat.

(Spotless is less intelligent than the cat.)

To say that things are equal, use aussi (+ adjective) que:

Max est aussi intelligent qu'Izzy.

Pour le ... ou pour ... For better ...

Superlatives

In English

Superlatives in English either end in -est:

the biggest house

the fastest car

or they have most or least in front of the adjective:

Spotless is the most disobedient dog.

In French

Superlatives in French are formed in the same way as comparatives, but they have le, la or les before plus or moins.

Spotless est plus méchant que le chat.
Spotless est <u>le plus</u> méchant.

(Spotless is naughtier than the cat.
Spotless is the naughtiest.)

Witherbottom Hall est <u>la plus</u> grande maison du village.

(Witherbottom Hall is the biggest house in the village.)

Remember to use the correct article: le, la or les.

- Remember to make the adjective agree, depending on whether it is masculine or feminine, singular or plural.

Izzy est moins grande que Max.

Max et Izzy sont plus jeunes que Ralph.

Izzy et Tante Gwendoline sont plus intelligentes que Ralph.

Le pire restaurant du monde!

Le restaurant est plus sale qu'une poubelle.

La glace est plus chaude que la soupe.

Le vin est moins fort que l'eau.

La chaise est plus grande que la table.

Le garçon marche moins vite que les escargots sur mon assiette.

Le fromage est plus jeune que la viande.

Le restaurant est aussi froid que le frigo dans la cuisine.

C'est le plus cher restaurant de la ville.

meilleur

e pire

for worse

Good, ~~gooder~~, ~~goodest~~ better, best!

- Some comparatives and superlatives are irregular, just as in English.

	Comparative	Superlative
bon	meilleur	le meilleur
(good)	(better)	(the best)
mauvais	pire	le pire
(bad)	(worse)	(the worst)
bien	mieux	le mieux
(well, fine)	(better)	(the best)
peu	moins	le moins
(few, little)	(less, fewer)	(the least, the fewest)

61

(See page 96)

Test your knowledge 3

1   A virus has infected the computer at the French Tourist Office and messed up the titles and captions for the brochures. It's your job to match the titles with the correct captions.

- les Pyrénées
- les Alpes
- Paris
- Disneyland Paris et le Parc Astérix
- le Mont Blanc
- Notre-Dame
- la révolution française
- ~~la Seine~~
- la Tour Eiffel
- le Val de Loire

	Title	Caption
	la Seine	Un fleuve à Paris
a)		La capitale de la France
b)		Des montagnes près de l'Espagne
c)		Le monument le plus connu de Paris
d)		On peut y faire du ski
e)		Une montagne énorme dans le sud-est de la France
f)		Une région connue pour ses châteaux
g)		La Cathédrale de Quasimodo
h)		Deux parcs d'attractions près de Paris
i)		Un événement important dans l'histoire de France

(9 marks)

2   Joe's mum has asked him to get a train ticket.

Joe,
Please get a single to Tours on the 11 a.m. train, second class, no-smoking. It'll cost 100€.
Mum

Complete the conversation Joe had at the railway station.

Guichet: Bonjour, puis-je vous aider?
Joe: Oui, je voudrais acheter un billet pour Tours, s'il vous plaît.
Guichet: Aller-simple ou aller-retour?
Joe: Un .... (a).
Guichet: Première ou seconde classe?
Joe: En .... (b), s'il vous plaît.
Guichet: Vous préférez une place fumeur ou non-fumeur ?
Joet: Je préfère .... (c).
Guichet: A quelle heure est-ce que vous voulez partir ?
Joe: Je veux partir à .... (d). C'est combien?
Guichet: Ça fait .... (e).
Joe: Merci.

(5 marks)

3 Unscramble the words in this letter of complaint.

192 Perrin Grove
Hull
HU57 1BP

Monsieur Laval
102, Boulevard de la Plage
Hôtel du Soleil
06200 Cannes

Hull, le 1er avril

Monsieur,

En mars, j'ai passé mes vacances de Pâques dans votre hôtel. Quand nous sommes arrivés, la

réception avait perdu notre VERSIONRÉAT *réservation*.

La MACHERB .... (a) était trop petite et dans la salle de bain la

CHUDEO .... (b) ne marchait pas. Les

TREVESSETI .... (c) étaient sales. La vue du NOBLAC

.... (d) était sur les poubelles.

Les SERPA .... (e) étaient affreux et, une fois, j'ai trouvé une

mouche dans ma OPUSE .... (f).

La NIPSICE .... (g) n'était pas chauffée et il faisait mauvais. Le soir,

il n'y avait NERI .... (h) à faire, et il n'y avait pas de

NOTVÉLÉISI .... (i) dans la chambre.

Je suis vraiment déçu, Monsieur, et j'attends votre RETTEL .... (j)
d'excuses.

Dans l'attente de votre réponse, je vous prie d'agréer, Monsieur, l'expression de mes meilleurs
sentiments.

Véronica Bruno

(10 marks)
(Total 24 marks)

Eurovision - the first 50 years!

LE CONCOURS EUROVISION DE LA CHANSON

Le champion des champions

the Irishman

he also composed the winning song

took second place, came second

L'Irlande a gagné le concours sept fois. L'Irlandais Johnny Logan a gagné deux fois (en 1980 et sept ans plus tard) et il a aussi composé la chanson gagnante en 1992. Le Royaume-Uni, la France et le Luxembourg ont gagné cinq fois. Le Royaume-Uni a pris la deuxième place quinze fois.

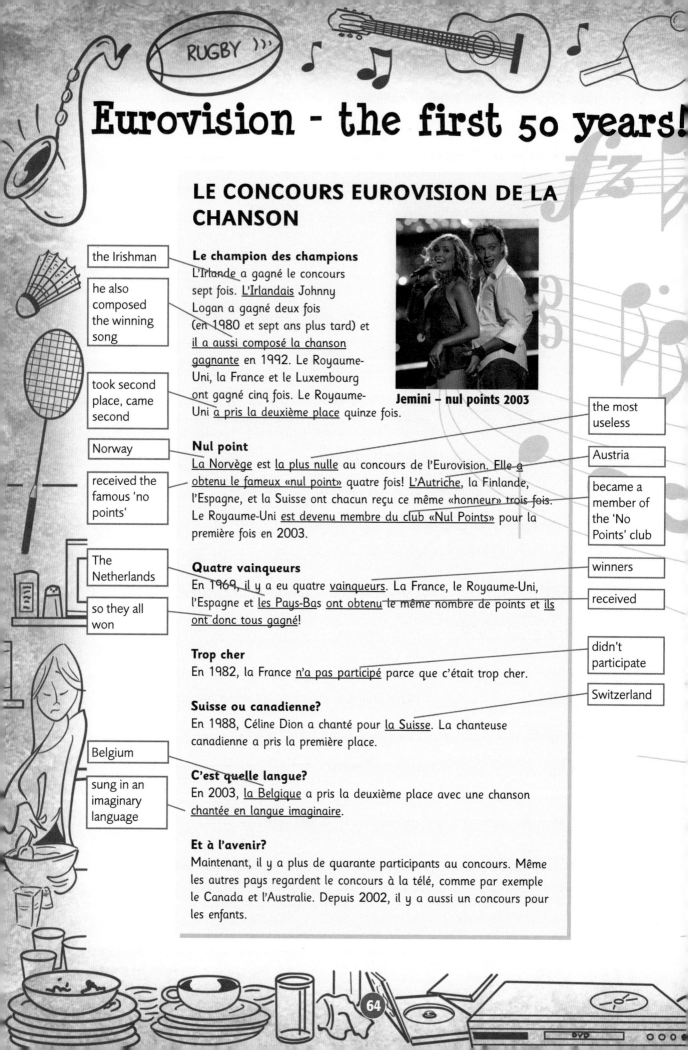

Jemini – nul points 2003

the most useless

Nul point

Norway

received the famous 'no points'

Austria

became a member of the 'No Points' club

La Norvège est la plus nulle au concours de l'Eurovision. Elle a obtenu le fameux «nul point» quatre fois! L'Autriche, la Finlande, l'Espagne, et la Suisse ont chacun reçu ce même «honneur» trois fois. Le Royaume-Uni est devenu membre du club «Nul Points» pour la première fois en 2003.

Quatre vainqueurs

The Netherlands

so they all won

winners

received

En 1969, il y a eu quatre vainqueurs. La France, le Royaume-Uni, l'Espagne et les Pays-Bas ont obtenu le même nombre de points et ils ont donc tous gagné!

Trop cher

didn't participate

Switzerland

En 1982, la France n'a pas participé parce que c'était trop cher.

Suisse ou canadienne?

En 1988, Céline Dion a chanté pour la Suisse. La chanteuse canadienne a pris la première place.

C'est quelle langue?

Belgium

sung in an imaginary language

En 2003, la Belgique a pris la deuxième place avec une chanson chantée en langue imaginaire.

Et à l'avenir?

Maintenant, il y a plus de quarante participants au concours. Même les autres pays regardent le concours à la télé, comme par exemple le Canada et l'Australie. Depuis 2002, il y a aussi un concours pour les enfants.

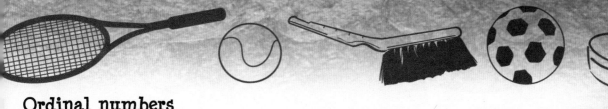

Ordinal numbers

Ordinal numbers show the order things come in, e.g. 'first, second, third'. You have already seen them used in this book to talk about centuries (page 36).

Apart from the word for 'first', ordinal numbers in French are usually formed by adding *ième* to the end of the number:

deux ⇨ **deuxième**
trois ⇨ **troisième**
vingt et un ⇨ **vingt et unième**
cent ⇨ **centième**

There are two words for 'first': **premier** (masculine) and **première** (feminine).

And the winner is...

Match the titles of these Eurovision-winning songs with their English equivalents.

1	Dors, mon amour (France 1958)	a)	A bench, a tree, a street
2	Nous les amoureux (Luxembourg 1961)	b)	A first love
3	Un premier amour (France 1962)	c)	After you
4	Ne partez pas sans moi (Suisse 1988)	d)	Don't leave without me
5	Un jour, un enfant (France 1969)	e)	I love life
6	Un banc, un arbre, une rue (Monaco 1971)	f)	If life is a gift
7	Après toi (Luxembourg 1972)	g)	One day, one child
8	L'oiseau et l'enfant (France 1977)	h)	Sleep, my love
9	Si la vie est cadeau (Luxembourg 1983)	i)	The bird and the child
10	J'aime la vie (Belgique 1986)	j)	We lovers

KEY FACTS

As in English, ordinal numbers are often abbreviated:

⬅	deuxième / 2e / 2ème	second / 2nd
➡	au 56ème étage	on the 56th floor
⬇	au 20e siècle	in the 20th century

EXAMINER'S TOP TIPS

There are a lot of names of countries to learn, but most are similar to English so they are easy to recognise. Learn by heart the ones you are likely to use (for example, the place you went to on holiday last year).

L'année dernière, je suis allé en Allemagne.
Last year I went to Germany.

Answers
1 h)
2 j)
3 b)
4 d)
5 g)
6 a)
7 c)
8 i)
9 f)
10 e)

Gossip column

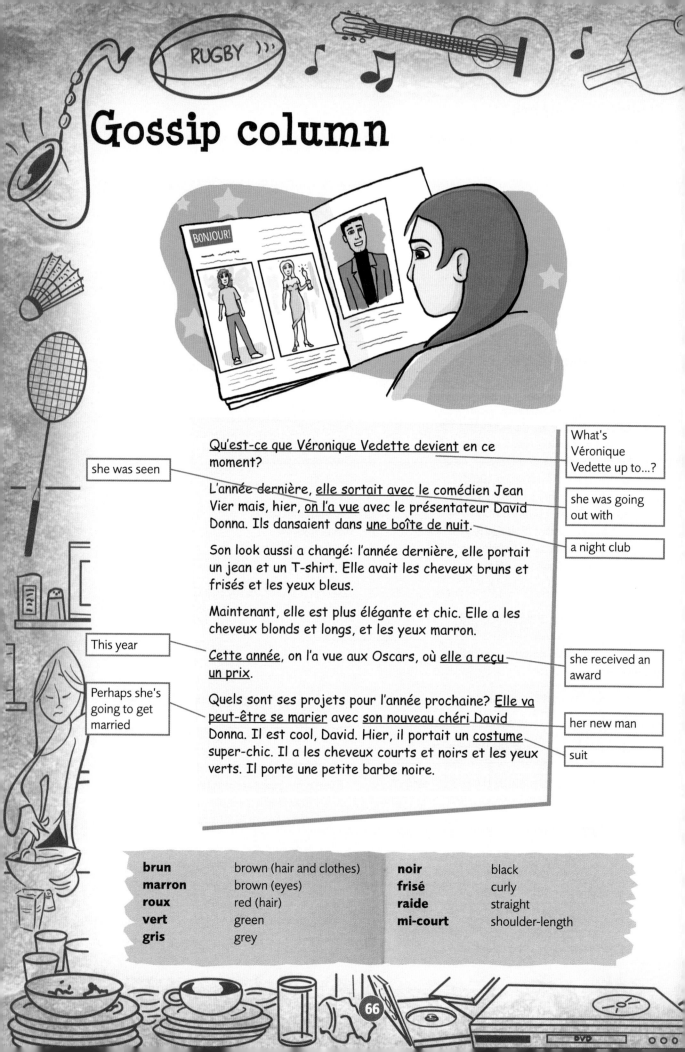

What's Véronique Vedette up to...?

Qu'est-ce que Véronique Vedette <u>devient</u> en ce moment?

she was seen

L'année dernière, <u>elle sortait avec</u> le comédien Jean Vier mais, hier, <u>on l'a vue</u> avec le présentateur David Donna. Ils dansaient dans <u>une boîte de nuit</u>.

she was going out with

a night club

Son look aussi a changé: l'année dernière, elle portait un jean et un T-shirt. Elle avait les cheveux bruns et frisés et les yeux bleus.

Maintenant, elle est plus élégante et chic. Elle a les cheveux blonds et longs, et les yeux marron.

This year

<u>Cette année</u>, on l'a vue aux Oscars, où <u>elle a reçu un prix</u>.

she received an award

Perhaps she's going to get married

Quels sont ses projets pour l'année prochaine? <u>Elle va peut-être se marier</u> avec <u>son nouveau chéri</u> David Donna. Il est cool, David. Hier, il portait un <u>costume</u> super-chic. Il a les cheveux courts et noirs et les yeux verts. Il porte une petite barbe noire.

her new man

suit

brun	brown (hair and clothes)	**noir**	black
marron	brown (eyes)	**frisé**	curly
roux	red (hair)	**raide**	straight
vert	green	**mi-court**	shoulder-length
gris	grey		

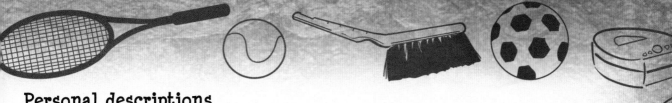

Personal descriptions

Adjectives are vital if you're going to describe how someone looks. The adjectives have to agree if the thing you are describing is feminine or plural. (See page 13 if you need to revise this.)

	les yeux	marron
		bleus
		verts
		gris
J'ai		blonds
Il a		bruns
Elle a		noirs
		roux
		gris
	les cheveux	
		courts
		frisés
		longs
		raides
		mi-courts

Je suis		grand(e)
Il est		petit(e)
Elle est		mince
		gros(se)
		chic
		élégant(e)
		à la mode

Je		des lunettes
Il	porte	des boucles d'oreille
Elle		une barbe

KEY FACTS

Some adjectives do not follow the regular pattern of agreement:

◄ **marron and chic NEVER change**

► **gris doesn't need an 's' on the end for the masculine plural as it already has one**

▼ **adjectives that end in 'x', like roux, don't need an 's' on the end for the masculine plural**

▲ **mince doesn't need an 'e' on the end for the feminine adjective as it already has one.**

True, false or don't know?

Read the descriptions of Véronique and David again. Write T (true), F (false) or DK (don't know because it doesn't say) next to each of the following statements.

1. Last year Véronique used to wear jeans and T-shirt. T
2. Last year she had blond hair.
3. Last year she had blue eyes.
4. Last year she had short hair.
5. This year she has long hair.
6. This year she has brown eyes.
7. David is cool.
8. Yesterday he was wearing a suit that Véronique had bought him.
9. He's got short, black hair.
10. He's got grey eyes.

EXAMINER'S TOP TIPS

Learn by heart a description of yourself and one other person, such as your sister, brother or best friend. Use phrases from the tables on the left.

How to cure the hiccups

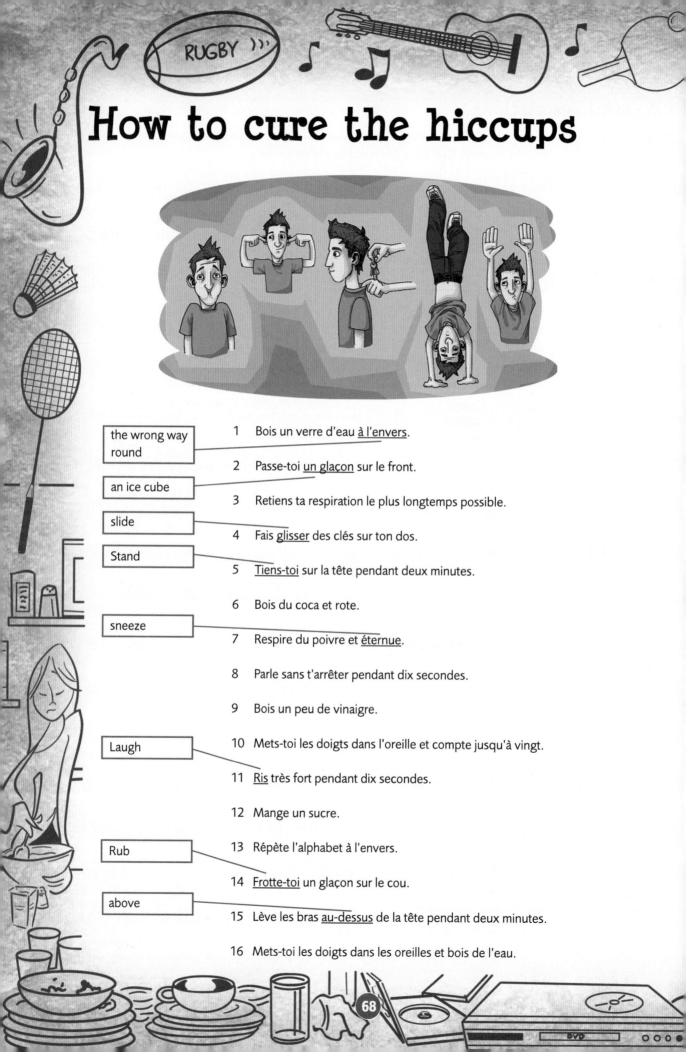

the wrong way round	1	Bois un verre d'eau <u>à l'envers</u>.
	2	Passe-toi <u>un glaçon</u> sur le front.
an ice cube	3	Retiens ta respiration le plus longtemps possible.
slide	4	Fais <u>glisser</u> des clés sur ton dos.
Stand	5	<u>Tiens-toi</u> sur la tête pendant deux minutes.
	6	Bois du coca et rote.
sneeze	7	Respire du poivre et <u>éternue</u>.
	8	Parle sans t'arrêter pendant dix secondes.
	9	Bois un peu de vinaigre.
Laugh	10	Mets-toi les doigts dans l'oreille et compte jusqu'à vingt.
	11	<u>Ris</u> très fort pendant dix secondes.
	12	Mange un sucre.
Rub	13	Répète l'alphabet à l'envers.
	14	<u>Frotte-toi</u> un glaçon sur le cou.
above	15	Lève les bras <u>au-dessus</u> de la tête pendant deux minutes.
	16	Mets-toi les doigts dans les oreilles et bois de l'eau.

Find the cure

Match the instructions opposite with their English translations. You don't need to understand every word to get the 'gist' of each instruction.

a) Drink some vinegar.
b) Drink cola and burp.
c) Drink a glass of water the wrong way round.
d) Drop a bunch of keys down your back.
e) Eat a sugar cube.
f) Hold your breath for as long as possible.
g) Laugh very loudly for ten seconds.
h) Lift up your arms above your head for two minutes.

i) Pass an ice cube over your forehead.
j) Put your fingers in your ears and count to twenty.
k) Rub an ice cube on your neck.
l) Say the alphabet backwards.
m) Sniff pepper and sneeze.
n) Stand on your head for two minutes.
o) Talk non-stop for ten seconds.
p) Put your fingers in your ears and drink water.

Imperatives

The imperative form is used to give orders or instructions. The imperatives used for the hiccup cures are in the *tu* form, so they are orders to one person:

Bois un verre d'eau à l'envers. (Drink a glass of water the wrong way round.)

The *tu* form of the imperative is the same as the *tu* form of the present tense, but without the word *tu*. With *-er* verbs, such as *parler* and *manger*, you take off the final *s*.

present tense	imperative
Qu'est-ce que **tu bois**?	**Bois** un verre d'eau.
Tu parles anglais?	**Parle** pendant dix secondes.
Tu manges des frites?	**Mange** un sucre.

EXAMINER'S TOP TIPS

You don't usually need to be able to write or say the imperative form yourself, but you must be able to recognise it.

Answers

1 c)	9 a)
2 i)	10 j)
3 f)	11 g)
4 d)	12 e)
5 n)	13 l)
6 b)	14 k)
7 m)	15 h)
8 o)	16 p)

Thank you for the err, umm...

that you sent me

It got here safely

incredible, unbelievable

I use it

I've never had anything so original

La famille Witherbottom
Witherspoon Hall
Nether Witherbottom
WB13 OUI

Lille, le 2 septembre

Chers amis,

Merci beaucoup pour le petit cadeau que vous m'avez envoyé. Je l'ai bien reçu. Quelle bonne surprise!

Je l'aime bien et je le trouve incroyable. Je l'utilise souvent pour faire mes devoirs. Je n'ai jamais rien eu d'aussi original.

Mille fois merci.

Amicalement

Hassan

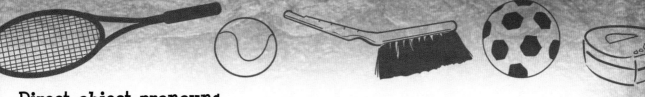

Direct object pronouns

So that Hassan doesn't have to keep repeating the word *cadeau* in this letter, he replaces it with an object pronoun, just as you would use 'it' in English.

Je **l'**aime bien	=	J'aime bien le cadeau.
Je **le** trouve incroyable.	=	Je trouve le cadeau incroyable.
Je **l'**utilise souvent.	=	J'utilise souvent le cadeau.

Le cadeau is a masculine noun, so Hassan replaces it with *le* as the object pronoun.

If the noun you want to replace is a feminine noun, use *la*:

Hassan mange la tarte.	=	Il **la** mange.

If the noun you want to replace is plural, use *les*:

Il aime les cadeaux.	=	Il **les** aime.

It's very nice. What is it?

Write in the correct object pronoun: *le*, *la* or *les*.

1 Merci beaucoup pour le T-shirt. Je ... mets tous les jours!
2 J'ai bien reçu les photos. Je vais ... mettre dans mon album.
3 Je n'aime pas son dernier CD. Je ... trouve nul.
4 Tu aimes les escargots? Je ... déteste.
5 Mes parents arrivent en train. Je ... attends devant la gare.
6 Il y a un bon film au cinéma. Je vais ... voir ce week-end.
7 Je connais Mathilde. Je ... vois souvent.
8 J'ai des CDs de *Gorillaz*. Je ... écoute tous les jours.
9 Voilà la cathédrale. Je vais ... visiter.
10 J'aime bien ma chambre, mais je ne ... range jamais.

EXAMINER'S TOP TIPS

Letter-writing very often comes up in exams, so imagine you have received a present and use Hassan's letter as a model to write your own thank-you letter.
Remember to use the correct object pronouns. You will then have a letter you can learn by heart.

KEY FACTS

The object pronoun usually comes before the verb:

◁ **Je t'aime**

In the perfect tense, the object pronoun comes before *avoir* or *etre*:

▷ **Je l'ai acheté à Paris.**

Just what I always wanted!

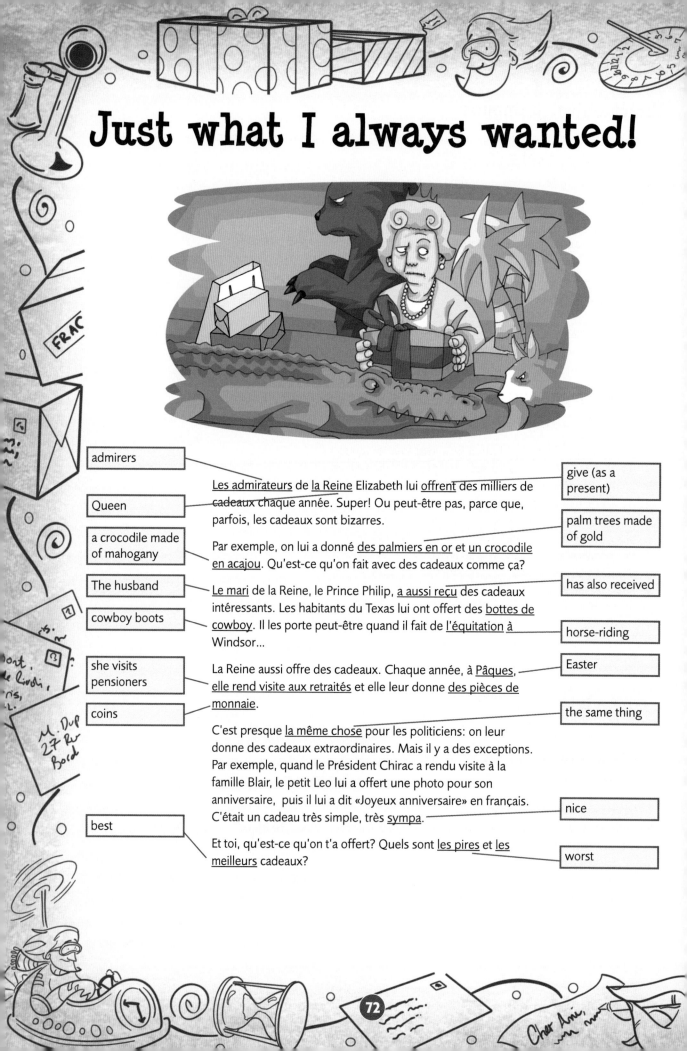

admirers

Queen

a crocodile made of mahogany

The husband

cowboy boots

she visits pensioners

coins

best

give (as a present)

palm trees made of gold

has also received

horse-riding

Easter

the same thing

nice

worst

Les admirateurs de la Reine Elizabeth lui offrent des milliers de cadeaux chaque année. Super! Ou peut-être pas, parce que, parfois, les cadeaux sont bizarres.

Par exemple, on lui a donné des palmiers en or et un crocodile en acajou. Qu'est-ce qu'on fait avec des cadeaux comme ça?

Le mari de la Reine, le Prince Philip, a aussi reçu des cadeaux intéressants. Les habitants du Texas lui ont offert des bottes de cowboy. Il les porte peut-être quand il fait de l'équitation à Windsor...

La Reine aussi offre des cadeaux. Chaque année, à Pâques, elle rend visite aux retraités et elle leur donne des pièces de monnaie.

C'est presque la même chose pour les politiciens: on leur donne des cadeaux extraordinaires. Mais il y a des exceptions. Par exemple, quand le Président Chirac a rendu visite à la famille Blair, le petit Leo lui a offert une photo pour son anniversaire, puis il lui a dit «Joyeux anniversaire» en français. C'était un cadeau très simple, très sympa.

Et toi, qu'est-ce qu'on t'a offert? Quels sont les pires et les meilleurs cadeaux?

Indirect object pronouns

When a verb has two objects (a *direct* one and an *indirect* one), the indirect object pronoun is used instead of a noun.

- Ses admirateurs **lui** offrent des cadeaux bizarres.   (Her admirers give **her** strange presents.)
- On **lui** a donné des palmiers en or.   (Someone gave **her** palm trees made of gold.)
- Le petit Leo **lui** a offert une photo.   (Little Leo gave **him** a photo.)

The indirect object pronouns you need to recognise are:

me   to me
te   to you
lui   to him/to her
leur   to them

me and **te** become **m'** and **t'** before a vowel sound.

What will one do with that?

Give the Queen a hand and help her decide what to do with some of her strange presents. Match the present with the most suitable recipient.

1. Le gouvernement australien lui a offert un boomerang en argent.
2. Le club de football de la Corée du Sud lui a donné un ballon en céramique.
3. Les Allemands lui ont donné un morceau du mur de Berlin.
4. Le Sultan de Barein lui a offert un canon en bronze.

a) Elle le donne au musée.
b) Elle le donne à ses corgis.
c) Elle le donne à l'armée.
d) Elle le donne à Will et Harry pour jouer dans le jardin du Palais de Buckingham.

EXAMINER'S TOP TIPS

Learn by heart how to say what presents you've had recently. Write a sentence about:

- the worst present you've ever received (for example: *On m'a offert un bracelet en plastique. C'était horrible!*)

- the best present you've ever received (for example: *Pour mon anniversaire, mes parents m'ont donné un appareil-photo numérique. C'était super!*)

KEY FACTS

Indirect object pronouns come before the verb, and are often used with offrir, donner, dire and montrer.

←	Il m'a offert…	He gave me…
→	Je t'ai donné…	I gave you…
↓	Je lui ai dit…	I said to him, I told him…
↓	Je leur ai montré…	I showed them…

Answers

1. d) (She could give the silver boomerang to Will and Harry to play with.)
2. b) (She could give the ceramic football to the corgis.)
3. a) (She could give it to a museum.)
4. c) (She could give it to the army.)

Canadian cuisine

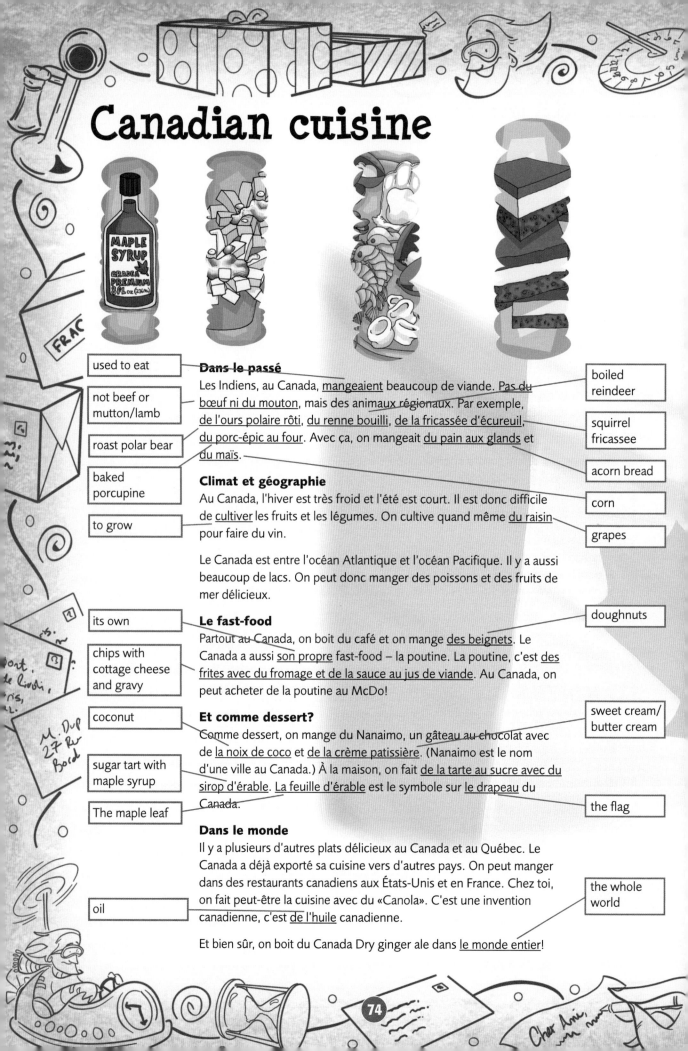

used to eat

not beef or mutton/lamb

roast polar bear

baked porcupine

to grow

Dans le passé

Les Indiens, au Canada, <u>mangeaient</u> beaucoup de viande. <u>Pas du bœuf ni du mouton</u>, mais des animaux régionaux. Par exemple, <u>de l'ours polaire rôti</u>, <u>du renne bouilli</u>, <u>de la fricassée d'écureuil</u>, <u>du porc-épic au four</u>. Avec ça, on mangeait <u>du pain aux glands</u> et <u>du maïs</u>.

boiled reindeer

squirrel fricassee

acorn bread

corn

grapes

Climat et géographie

Au Canada, l'hiver est très froid et l'été est court. Il est donc difficile de <u>cultiver</u> les fruits et les légumes. On cultive quand même <u>du raisin</u> pour faire du vin.

Le Canada est entre l'océan Atlantique et l'océan Pacifique. Il y a aussi beaucoup de lacs. On peut donc manger des poissons et des fruits de mer délicieux.

its own

chips with cottage cheese and gravy

Le fast-food

Partout au Canada, on boit du café et on mange <u>des beignets</u>. Le Canada a aussi <u>son propre</u> fast-food – la poutine. La poutine, c'est <u>des frites avec du fromage et de la sauce au jus de viande</u>. Au Canada, on peut acheter de la poutine au McDo!

doughnuts

coconut

sugar tart with maple syrup

The maple leaf

Et comme dessert?

Comme dessert, on mange du Nanaimo, un gâteau au chocolat avec de <u>la noix de coco</u> et <u>de la crème patissière</u>. (Nanaimo est le nom d'une ville au Canada.) À la maison, on fait <u>de la tarte au sucre avec du sirop d'érable</u>. <u>La feuille d'érable</u> est le symbole sur <u>le drapeau</u> du Canada.

sweet cream/ butter cream

the flag

Dans le monde

Il y a plusieurs d'autres plats délicieux au Canada et au Québec. Le Canada a déjà exporté sa cuisine vers d'autres pays. On peut manger dans des restaurants canadiens aux États-Unis et en France. Chez toi, on fait peut-être la cuisine avec du «Canola». C'est une invention canadienne, c'est <u>de l'huile</u> canadienne.

oil

the whole world

Et bien sûr, on boit du Canada Dry ginger ale dans <u>le monde entier</u>!

Using 'on'

In French, the word *on* is used in many different situations. It is roughly equivalent to 'one', meaning 'people generally', in English. You sometimes hear 'one' used in this way in English (for example, 'One never knows what's going to happen) but it is not as common as in French.

In French, you use it when in English we might say 'we' or 'they' or even 'you', depending on the context:

Au Canada on mange du sirop d'érable.

In Canada **they** eat maple syrup.
In Canada **you** eat maple syrup.
In Canada **we** eat maple syrup.

On is followed by the third person singular form of the verb, the same as the *il* or *elle* form.

One is what one eats

Match each of these phrases from the text with the most suitable translation.

1 *On cultive quand même du raisin pour faire du vin.*
   a) Madame Quand cultivates raisins and fair wine.
   b) It's impossible to grow grapes to make wine.
   c) All the same, they grow grapes to make wine.

2 *On peut donc manger des poissons et des fruits de mer délicieux.*
   a) So, you can't find delicious fish or seafood.
   b) So, they can eat delicious fish and seafood.
   c) So, nobody eats delicious fish and seafood.

3 *Partout au Canada, on boit du café et on mange des beignets.*
   a) In Canada, Partout drinks coffee and eats doughnuts.
   b) Partout is a place in Canada where they drink coffee and eat doughnuts.
   c) Everywhere in Canada they drink coffee and eat doughnuts.

4 *À la maison, on fait de la tarte au sucre avec le sirop d'érable.*
   a) At home people make sugar tart with maple syrup.
   b) Many people buy sugar tart, made from maple syrup.
   c) Nobody in my house makes sugar tart with maple syrup.

5 *On peut manger dans des restaurants canadiens aux États-Unis et en France.*
   a) In the United States they eat in French restaurants.
   b) Canadians eat in restaurants in the United States and France.
   c) You can eat in Canadian restaurants in the United States and France.

EXAMINER'S TOP TIPS

Learn the names of your favourite food and drinks, plus the names of some French foods you've tried or would like to try, so that you can talk about food in a Speaking exam. In English, we use the French words for many dishes, e.g. *omelette, gateau* and *fricassee.*

KEY FACTS

On is used in some common expressions.

↰ **On ne sait jamais.**   **You never know.**

➡ **Ici on parle anglais.**   **We speak English here. / English is spoken here.**

Answers
1 c)
2 b)
3 c)
4 a)
5 c)

Education elsewhere

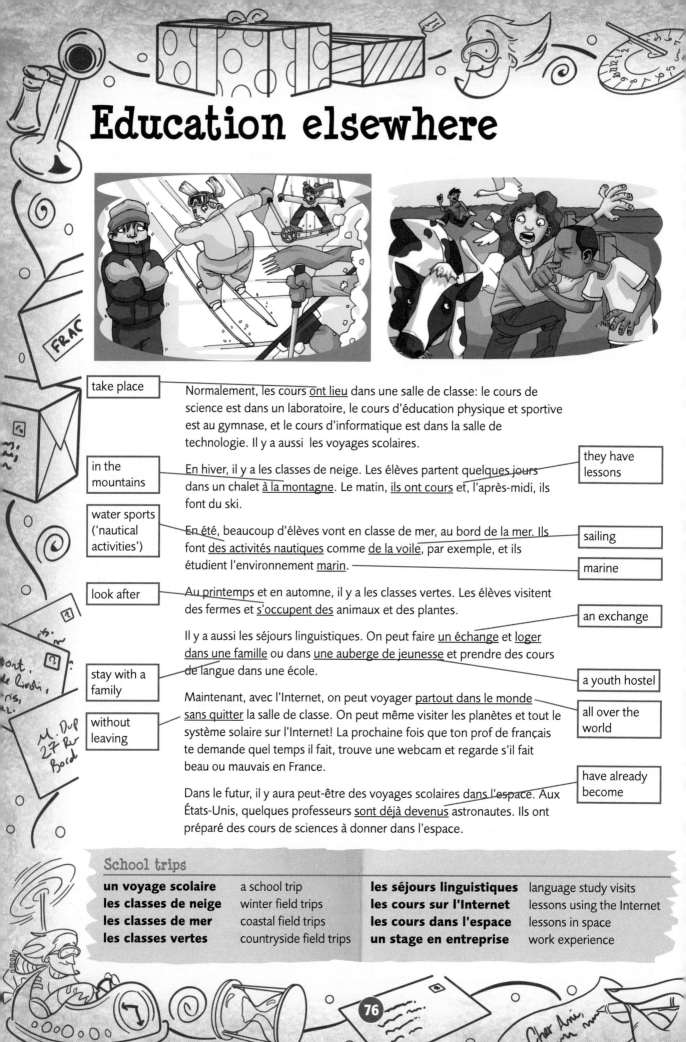

take place

Normalement, les cours <u>ont lieu</u> dans une salle de classe: le cours de science est dans un laboratoire, le cours d'éducation physique et sportive est au gymnase, et le cours d'informatique est dans la salle de technologie. Il y a aussi les voyages scolaires.

in the mountains

they have lessons

En hiver, il y a les classes de neige. Les élèves partent quelques jours dans un chalet <u>à la montagne</u>. Le matin, <u>ils ont cours</u> et, l'après-midi, ils font du ski.

water sports ('nautical activities')

En été, beaucoup d'élèves vont en classe de mer, au bord de la mer. Ils font <u>des activités nautiques</u> comme <u>de la voile</u>, par exemple, et ils étudient l'environnement <u>marin</u>.

sailing

marine

look after

Au printemps et en automne, il y a les classes vertes. Les élèves visitent des fermes et <u>s'occupent des</u> animaux et des plantes.

an exchange

Il y a aussi les séjours linguistiques. On peut faire <u>un échange</u> et <u>loger dans une famille</u> ou dans <u>une auberge de jeunesse</u> et prendre des cours de langue dans une école.

stay with a family

a youth hostel

without leaving

Maintenant, avec l'Internet, on peut voyager <u>partout dans le monde</u> <u>sans quitter</u> la salle de classe. On peut même visiter les planètes et tout le système solaire sur l'Internet! La prochaine fois que ton prof de français te demande quel temps il fait, trouve une webcam et regarde s'il fait beau ou mauvais en France.

all over the world

have already become

Dans le futur, il y aura peut-être des voyages scolaires <u>dans l'espace</u>. Aux États-Unis, quelques professeurs <u>sont déjà devenus</u> astronautes. Ils ont préparé des cours de sciences à donner dans l'espace.

School trips

un voyage scolaire	a school trip	**les séjours linguistiques**	language study visits
les classes de neige	winter field trips	**les cours sur l'Internet**	lessons using the Internet
les classes de mer	coastal field trips	**les cours dans l'espace**	lessons in space
les classes vertes	countryside field trips	**un stage en entreprise**	work experience

Tenses

This text includes a variety of verb forms covered in other sections of this book.

The present tense

Le cours de science **est** dans un laboratoire.	**être** (page 25)
Les cours **ont** lieu dans une salle de classe.	**avoir** (page 27)
Ils **font** du ski.	**faire** (page 57)
Beaucoup d'élèves **vont** en classe de mer.	**aller** (page 29)
Il y a aussi les voyages scolaires.	**il y a** (page 27)
On peut faire un échange.	**on** (page 75)
Les élèves **s'occupent** des animaux.	Reflexive verbs (page 35)
Trouve une webcam et **regarde** s'il fait beau ou mauvais en France.	Imperatives (pages 51 and 69)

The perfect tense

Ils **ont préparé** des cours de sciences à donner dans l'espace.	The perfect tense with **avoir** (page 31)
Aux États-Unis, quelques professeurs **sont devenus** astronautes.	The perfect tense with **être** (page 33)

The future tense

Dans le futur, il y aura peut-être des voyages scolaires dans l'espace.	The future tense (page 29 and 79)

EXAMINER'S TOP TIPS

Think about a school trip you've been on. Write down and learn some phrases to describe what sort of trip it was and some of the things you did.

KEY FACTS

When you meet a new verb in French, check the following:

- Are any parts of the verb irregular? e.g. the *vous* form of faire in the present tense is *vous faites*.

- What is its past participle? e.g. the past participle of *prendre* is *pris*.

- Is the verb used in any common phrases? e.g. *aller* → *ça va bien*.

I suppose you think that's clever!

Match the sentences with the pictures.

1 Je voudrais faire un stage d'astronaute.

2 L'année prochaine, il y aura peut-être une classe de neige en Suisse.

3 J'apprends la grammaire allemand parce que je vais faire un séjour linguistique cette année.

4 J'ai trouvé une webcam intéressante sur Internet.

5 Nous avons fait des promenades au bord de la mer.

6 J'ai travaillé avec les animaux.

Time traveller

le 15 juillet – Avant les vacances

Pendant les vacances, je vais aller en Italie. Il va faire beau tous les jours, et je vais nager dans la mer. Je vais manger des glaces italiennes. Je vais visiter tous <u>les sites touristiques</u>. Je vais acheter beaucoup de souvenirs. Je vais bien m'amuser!

the tourist sites

le 15 août

Salut !

Je suis en Italie. Il fait très chaud et je nage dans la mer. Je mange beaucoup de glaces – elles sont délicieuses! Les sites touristiques sont très intéressants.

J'achète des souvenirs dans les petits magasins. Je m'amuse bien ici.

À bientôt,

Clara

Izzy Witherbottom

Witherspoon Hall

Nether Witherbottom

WB13 0U1

I got sunburnt

a bad stomach

lots of people

I bought nothing

I didn't have a good time

le 30 août – La vérité!

Je suis allée en Italie. Il faisait très chaud et <u>j'ai pris un coup de soleil</u>. J'ai mangé trop de glaces et j'ai eu <u>mal au ventre</u>. Il y avait <u>beaucoup de monde</u> dans les sites touristiques, et on ne pouvait pas entrer. Les souvenirs étaient trop chers et <u>je n'ai rien acheté</u>. <u>Je ne me suis pas amusée</u>.

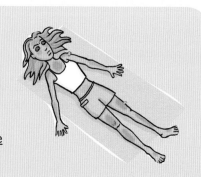

Describing a holiday

Where?

past	present	future
Je suis allé(e)...	Je vais...	Je vais aller...

en Italie / en France / aux États-Unis / en Nouvelle-Zélande

When?

past	present	future
J'ai passé mes vacances...	Je passe mes vacances...	Je vais passer mes vacances...

en août... / pendant les vacances d'été... / à Noël... / après les examens...

What's it like?

past	present	future
C'était...	C'est...	Ça va être...

formidable! / super! / génial! / pittoresque / intéressant / nul! / terrible! / ennuyeux

The weather?

past	present	future
Il faisait...	Il fait...	Il va faire...

beau / chaud / froid / mauvais / du soleil / du vent / du brouillard

Things to do and places to see?

past	present	future
Il y avait...	Il y a...	Il y aura...

beaucoup à faire / des plages / des monuments / des musées / des ruines

Activities?

past	present	future
J'ai nagé...	Je nage...	Je vais nager...
J'ai visité...	Je visite...	Je vais visiter...
J'ai acheté...	J'achète...	Je vais acheter...
J'ai mangé...	Je mange...	Je vais manger...
J'ai regardé...	Je regarde...	Je vais regarder...

Holidays, holidays

Use the phrases above to write

1 a short description of a holiday that you've had
2 a postcard as if you were on holiday
3 a short description of your next holiday

EXAMINER'S TOP TIPS

In some writing exams, you might have to describe what you did yesterday, what you are doing today and what you will do at the weekend. It is very important to be able to use past, present and future tenses to get high marks.

KEY FACTS

Learn some time expressions to use with each tense.

← l'année dernière + past tense (last year)

→ normalement + present tense (usually)

↘ à l'avenir + future tense (in the future)

Just two little words that mean so much!

- qui and que can both mean 'who', 'which' or 'that'. They are relative pronouns and are used to join parts of a sentence. We often leave out these relative pronouns in English but they can never be left out in French:

Titanic est un film que je déteste. (Titanic is a film (that) I hate.)

Voilà le livre que je vais acheter.
(There's the book (that) I'm going to buy.)

- If qui or que are followed by a vowel, their last letter is replaced by an apostrophe:

Il dit qu'il m'aime. (He says (that) he loves me.)

- qui and que can refer to people or things:
Mon frère, qui a 20 ans, est à l'université.
(My brother, who is 20, is at university.)

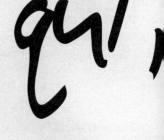

Relative pronouns

Qui or que? You what??

- Use qui when the noun to be replaced is the subject of the verb:
J'ai un chien. Il s'appelle Spotless.
J'ai un chien qui s'appelle Spotless.

- Use que when the noun to be replaced is the object of the verb:
J'ai un chien. J'aime beaucoup mon chien.
J'ai un chien que j'aime beaucoup.

Les fruits qui coûtent le moins cher sont les pommes et les oranges.
(The fruits that cost the least are apples and oranges.)

Les fruits que j'aime le mieux sont les pommes et les fraises.
(The fruits (that) I like best are apples and strawberries.)

Que often appears in opinion phrases:
Je crois que...
(I believe / think that...)
Je pense que...
(I think that...)
On dit que...
(People say that...)
Il me semble que...
(It seems to me that...)

Question words
qui and que are also used in questions. They're very important!

que

...uestion words...

Que...?
(What...?)

Qui...?
(Who...?)

À qui...?
(Whose...?)

Quoi?
(What?)

Où...?
(Where...?)

Quel/...?
(Which...?)

Combien...?
(How much...?
How many...?)

Pourquoi...?
(Why...?)

Comment...?
(How...?)

Quand...?
(When...?)

Other questions
Qu'est-ce que c'est? (What is it?)
Qu'est-ce qui se passe? (What's happening?)
Qu'est-ce que tu vas faire samedi? (What are you going to do on Saturday?)
Est-ce que tu aimes le chocolat? (Do you like chocolate?)
Est-ce qu'il y a un bus qui va au centre sportif? (Is there a bus that goes to the sports centre?)

Test your knowledge 4

1   Choose the correct words to complete the descriptions.

Marc   Lucien

Marc	Lucien
• assez grand	• lunettes
• assez petit et mince	• marron
• ~~bleus~~	• moustache
• blonds et frisés	• un costume et une chemise blanche
• bruns et assez courts	• un T-shirt et un jean

Marc   **Lucien**

Il a les yeux *bleus*.   e) Il a les yeux ....

a) Il a les cheveux ....   f) Il a les cheveux ....

b) Il porte des ....   g) Il a une ....

c) Il est ....   h) Il est ....

d) Il porte ....   i) Il porte ....

(9 marks)

2   Find the ordinal number in each sentence and write it in figures.

La révolution française s'est passée au dix-huitième siècle. *18th*

a) Le restaurant se trouve au quarante-deuxième étage.

b) Il est arrivé premier.

c) Prenez la troisième rue à gauche.

d) Je vais faire une boum pour mon quinzième anniversaire.

e) Au Concours Eurovision de la Chanson, la Suisse a pris la cinquième place.

f) C'est la première fois que le Royaume-Uni a obtenu «nul points».

(6 marks)

3 **Hassan has been writing thank-you letters again. Rearrange the jumbled sentences into the correct order.**

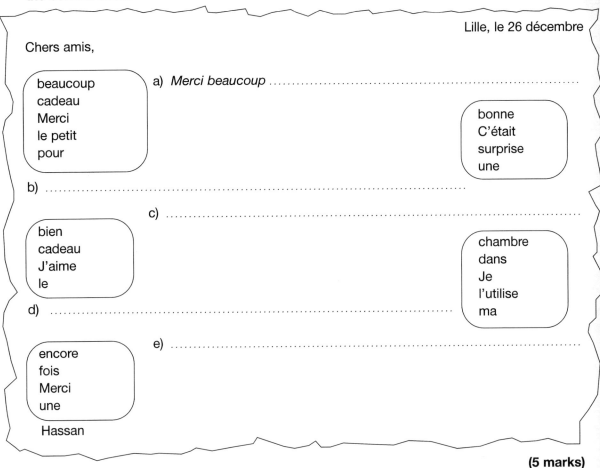

Lille, le 26 décembre

Chers amis,

beaucoup
cadeau
Merci
le petit
pour

a) *Merci beaucoup* ....

bonne
C'était
surprise
une

b) ....

c) ....

bien
cadeau
J'aime
le

chambre
dans
Je
l'utilise
ma

d) ....

e) ....

encore
fois
Merci
une

Hassan

(5 marks)

4 **On the left are some extracts from Guillaume's holiday diary.**

SAMEDI en France avec mes parents	SAMEDI J'ai voyagé en France avec mes parents.
DIMANCHE à l'Hôtel de la Plage; très confortable!	DIMANCHE
LUNDI du soleil; dans la piscine	LUNDI
MARDI à la plage; une glace	MARDI
MERCREDI beaucoup à faire; génial!	MERCREDI

Choose the best past tense verb from the list below to write a complete sentence for each day in the space provided.

• C'était	• ~~J'ai voyagé~~	• J'ai nagé	• Il faisait	• Nous sommes arrivés
• C'était	• J'ai mangé	• Je suis allé	• Il y a avait	

(8 marks)

(Total 28 marks)

Practice paper

Reading test

1 Look at this plan of a school.

Where is everyone? Write the correct letter next to each of the following sentences. The first one has been done for you.

Juliette est près de la piscine. E

a) Manon est devant la cantine.

b) Corinne est à côté du gymnase.

c) Nicolas est entre la cantine et la cour.

d) Théo est derrière les laboratoires.

(4 marks)

2 **Read about Natacha's daily life. Enter the correct times into the table on the next page.**

En France, les cours commencent à huit heures et demie, donc je me lève à sept heures. Mais pendant les vacances, je me lève plus tard, à neuf heures. Normalement je me couche vers vingt-deux heures. Pendant les vacances, je regarde la télé et je me couche vers vingt-trois heures trente le soir. Quand je suis en colonie, on se couche à vingt et une heures parce on se lève assez tôt, à sept heures.

	Normalement	Pendant les vacances	En colonie
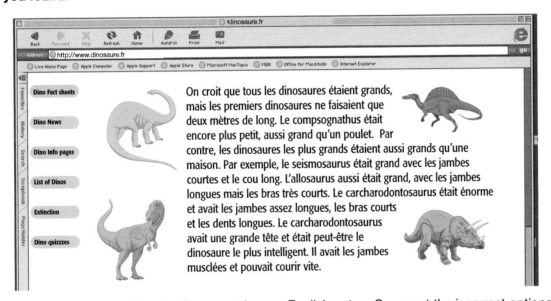	7.00		

(5 marks)

3 **You have been using a French website to do some research on dinosaurs. This is what you found:**

On croit que tous les dinosaures étaient grands, mais les premiers dinosaures ne faisaient que deux mètres de long. Le compsognathus était encore plus petit, aussi grand qu'un poulet. Par contre, les dinosaures les plus grands étaient aussi grands qu'une maison. Par exemple, le seismosaurus était grand avec les jambes courtes et le cou long. L'allosaurus aussi était grand, avec les jambes longues mais les bras très courts. Le carcharodontosaurus était énorme et avait les jambes assez longues, les bras courts et les dents longues. Le carcharodontosaurus avait une grande tête et était peut-être le dinosaure le plus intelligent. Il avait les jambes musclées et pouvait courir vite.

Check you have all of the details correct in your English notes. Cross out the incorrect options.

The first dinosaurs *were only two metres long* / ~~were not two metres long.~~

a) The compsognathus was *even smaller / quite small*. It was *bigger than / as big as* a chicken.

b) The *largest / smallest* dinosaurs were *as big as / smaller than* a house.

c) The seismosaurus was big with *long / short* legs and a *long /short* neck.

d) The allosaurus was big with *long / short* legs but very *short / long* arms.

e) The carcharodontosaurus was enormous with *quite long / very long* legs and long *teeth / arms*.

f) The carcharodontosaurus had a large *mouth / head* and was perhaps the *most intelligent / least intelligent* dinosaur.

(12 marks)

(Total 21 marks)

Speaking test

1 **Answer these general conversation questions.**

   a) Tu as un frère ou une sœur?

   b) Vous avez un jardin chez vous?

   c) Comment est ton ami(e)? Quelles sont ses qualités? Décris ton ami(e). Qu'est-ce qu'il/elle porte?

   d) Qu'est-ce que tu fais le week-end?

   (6 marks)

2 **Prepare a short presentation about yourself and learn it off by heart. Use the following questions to help you plan what to say:**

   a) Comment t'appelles-tu?

   b) Où habites-tu?

   c) Quel âge as-tu?

   d) Tu es de quelle nationalité?

   e) Tu parles quelles langues?

   f) Quelles sont tes qualités?

   g) Tu as un animal à la maison?

   h) Qu'est-ce que tu portes au collège?

   i) Qu'est-ce que tu fais pendant ton temps libre?

   (9 marks)

3 **Answer the questions in the role-play in full sentences.**

	Teacher / Examiner	Your role
a)	Quel temps fait-il aujourd'hui?	*Describe one thing about today's weather.*
b)	Qu'est-ce que tu vas faire ce week-end?	*Name two things you will do this weekend.*
c)	Quelle est ton émission préférée?	*Name your favourite programme.*
d)	Qu'est-ce que tu as fait hier soir?	*Name one thing you did yesterday evening.*

(5 marks)

4 The notes below give an outline of events during a holiday in France last year. Prepare something to say about each part of the holiday.

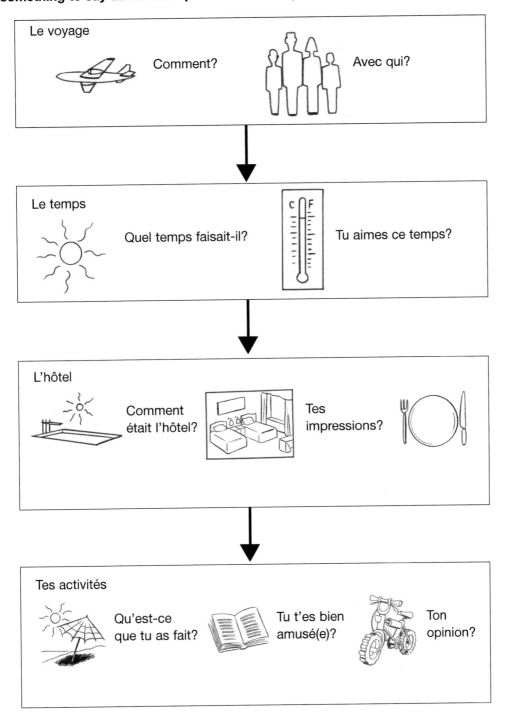

Le voyage

Comment?   Avec qui?

Le temps

Quel temps faisait-il?   Tu aimes ce temps?

L'hôtel

Comment était l'hôtel?   Tes impressions?

Tes activités

Qu'est-ce que tu as fait?   Tu t'es bien amusé(e)?   Ton opinion?

(10 marks)

(Total 30 marks)

Writing test

1 You are planning a journey to France. Write the names of four more means of transport in French:

Vélo

a) ....

b) ....

c) ....

d) ....

(4 marks)

2 Caroline is describing her daily routine. Fill in the table in French, using the pictures to help you.

Example	Caroline	(ÉCOUTER) *écoute*	de la	*musique* 🎵
a)	Caroline	(AIMER)	la	
b)	Mais elle	(DÉTESTER)	la	
c)	Elle	(MANGER)	à la	
d)	Le soir elle	(FAIRE)	ses	

(8 marks)

3 You are helping a French friend construct the home page for his personal website. Using the table on the next page, write six more sentences in French about Thomas under any of these headings:

a) Mes détails personnels

b) Mes passe-temps et passions

c) Ma vie à l'école

d) Mes langues

Nom	Thomas
Âge	12
Ville	Clermont-Ferrand
Temps libres et passions	
L'école	
Langues	

Example: Je m'appelle Thomas.

a) ....

b) ....

c) ....

d) ....

e) ....

f) ....

(6 marks)

4 **Write a postcard to a French friend describing your holiday in Italy.**

Write:

- what the weather is like
- something you like about your holiday, and why
- **two** things you have already done
- **two** things you are going to do

Ask your friend:

- what he/she likes doing on holiday

Salut!

Je passe mes vacances en Italie.

_____

_____

_____

_____

(7 marks)

(Total 25 marks)

French–English word list

The following words appear in the extracts in this book. You will need to recognise and learn many of these words as you study French at KS3 and beyond.

A

à   at, to

à la mode   fashionable

acheter   to buy

les ados   young people, teenagers

âgé(e)   old

aider   to help

aimer   to like, to love

aller   to go

alors   then

améliorer   to improve

un(e) ami(e)   friend

amusant(e)   funny

s'amuser   to have a good time

Angleterre   England

une année   year

un anniversaire   birthday

un an   year

s'appeler   to be called

apprendre   to learn

après   after

l'après-midi   (in) the afternoon

arrêter   to stop

assez   quite, enough

aujourd'hui   today

aussi   as, also

autre   other

l'automne   autumn

avant   before

avec   with

un avion   aircraft

B

le bateau   boat

un bâtiment   building

bavarder   to chat

beau (m.)   beautiful, attractive, nice

beaucoup   a lot, very much

belle (f.)   beautiful, attractive, nice

besoin – avoir besoin de   need/to need

une bibliothèque   library

bien   well

bien sûr   of course

bientôt – à bientôt   soon/see you soon

bisous   kisses

boire   to drink

bord – au bord de la mer   edge / at the seaside

la boum   party

un bureau   office

C

ça   that

un cadeau   gift

la campagne – à la campagne   countryside/in the country(side)

le car   coach

ce   this

ceux   those

chacun(e)   each

une chambre   bedroom

une chanson   song

chanter   to sing

un chapeau   hat

chaud   hot

chaque   each, every

cher (chère)   dear, expensive

chercher   to look for

les cheveux   hair

chez moi / toi / eux   at my / your / their house

chic   smart

choisir   to choose

un choix   choice

une clé   key

un collège   (secondary) school

combien   how much, how many

les combinaisons de protection   protective clothing

comme   like, as

comment   how

complet (complète)   full

comprendre   to understand

un concours   competition

conséquent – par conséquent   consequently

un copain   friend, boyfriend

une copine   friend, girlfriend

un costume-cravate   suit and tie

la côte   coast

une cour   yard, playground

un cours   lesson

court(e)   short

une cravate tie
une cuillère spoon
la cuisine kitchen, cooking
cultiver to grow

D
dans in
de of, from
découvrir to discover
délicieux (délicieuse) delicious
déjà already
le déjeuner lunch
demain tomorrow
demander to ask
demi(e) half
dépendre to depend
depuis since
dernier (dernière) last
devenir to become
les devoirs homework
dimanche Sunday
le dîner dinner
dire to say, to tell
se disputer to have an argument
donc so, therefore
donner to give
durer to last

E
l'eau water
les échecs chess
une école school
l'Écosse Scotland
écouter to listen (to)
écrire to write
une église church
un(e) élève pupil, student
en in
encore still, yet
un endroit place
un(e) enfant child
ennuyeux (ennuyeuse) boring
ensuite then, next
s'entendre bien to get on well
entre between
une entreprise firm, business
environ about
l'espace space
espagnol Spanish
essayer to try
l'est east
est-ce que is... *(used to begin a question)*

l'été summer
l'étranger – à l'étranger abroad
un événement event
l'extérieur – à l'extérieur outside

F
facile easy
faire to do, to make
faire les boutiques, les magasins to go shopping
fait – en fait in fact
fatigant(e) tiring
il faut you have to
une ferme farm
un feuilleton TV series, 'soap'
une fille girl, daughter
un fils son
un fleuve (major) river
une fois time
le foot football
froid cold
le front forehead
fumer to smoke

G
gagner to win
un garçon boy
la gare station
les gens people
une glace ice cream
le goûter afternoon snack
grand(e) big, tall
gros(se) big
le guichet ticket office

H
un habitant inhabitant
habiter to live
une heure hour, time
hier yesterday
l'histoire History
une histoire story
l'hiver winter

I
ici here
une idée idea
il y a there is, there are
il y avait there was, there were
l'informatique computer science, IT
un inhalateur inhaler
l'intérieur – à l'intérieur inside
l'Irlande Ireland

J

un jardin garden
jeudi Thursday
les jeunes young people
joli(e) pretty
jouer to play
un jour day
une journée day
une jupe skirt

L

là there, here
là-bas there
un lac lake
une langue language
un légume vegetable
libre free
lire to read
un lit bed
un livre book
loin far
louer to hire, to rent
lundi Monday
lunettes glasses, spectacles

M

un magasin shop
magasin – un grand magasin department store
maintenant now
mais but
une maison house
mal payé(e) badly paid
manger to eat
mardi Tuesday
le matin (in) the morning
même even; same
la mer sea
mercredi Wednesday
le métro the underground
milliers thousands
mince thin
minuit midnight
un mois month
monter to go up, to climb
montrer to show

N

nager to swim
naturellement naturally, of course
le nord north
normalement normally

O

une occasion opportunity
un ordinateur computer
ou or
où where
l'ouest west

P

par by
par conséquent consequently
par exemple for example
parce que because
parfois sometimes
parler to speak, to talk
partir to leave
passer to spend
un passe-temps pastime, hobby
Pays de Galles Wales
un pays country
pendant during
petit(e) small
le petit déjeuner breakfast
un peu a little, a bit
peut-être perhaps
une piscine swimming pool
un plat dish, plate
la plage beach
plus more
plusieurs several
le poivre pepper
porter to wear
un poste de télé TV set
une poubelle dustbin
un poulet chicken
pour for; in order to
pourquoi why
pouvoir to be able
préféré(e) favourite
préférer to prefer
premier (première) first
prendre to take
près (de) near
presque almost
prêt(e) ready
le printemps spring
proche close, near
une promenade walk
puis then

Q

le quai platform
quand when

quand même   all the same, anyway
qu'est-ce que   what... *(used to begin a question)*
quel(le)   what, which
quelqu'un   somebody
quelque   some
quelque chose   something
quelquefois   sometimes
qui   who, which

R

raconter   to tell (a story)
un raisin   grape
ranger   to tidy
se rappeler   to remember
regarder   to look (at), to watch
une région   region
rendre visite à   to visit
un repas   meal
se reposer   to rest
la respiration   breath, breathing
ressembler à   to look like
rester   to stay
retenir   to hold
roter   to burp
rouge   red
le Royaume-Uni   United Kingdom

S

sain – manger plus sain   to eat more healthily
une salle   room
un salon   sitting room
samedi   Saturday
sans   without
savoir   to know (how to)
scolaire   school (adjective)
une semaine   week
une serviette   towel
seul(e)   alone, only
seulement   only
si   if; so
sinon   if not, otherwise
le soir   (in) the evening
le soleil   sun
une sorcière   witch
sortir   to go out
une souris   mouse
sous   under
souvent   often
le sud   south

sur   on, over
surtout   especially
sympa   nice

T

la taille   size
tard – plus tard   late/later
le temps libre   free time
tôt   early
toujours   always, still
tous les jours   every day
tout   all
tout ça   all that
en tout cas   anyway
tout le monde   everybody
le travail   work
travailler   to work
très   very
trouver   to find
se trouver   to be situated

U

une usine   factory

V

les vacances   holidays
un vélo   bike
vendredi   Friday
venir   to come
le vent   wind
un verre   glass
vers   about; towards
une veste   a jacket
un vêtement   item of clothing
la vie   life
la ville   town
visiter   to visit
vivre   to live
la voile   sailing
voir   to see
la voiture   car
vomir   to be sick
vrai   true, real
vraiment   really
une vue   view

Y

y   there

Answers

Test your knowledge 1

1

1 B
2 A
3 B
4 C
5 B
6 A
7 C

2

a) la tante
b) Le grand-père
c) un cousin
d) fils, un demi-frère, une demi-sœur
e) sa nièce
f) la femme

3

a) naïf; créatif; obsédé; bizarres
b) intelligente; responsable; moderne
c) belle; calme; patiente; loyale
d) amusant; blanc; grand

4

a) derrière
b) sous
c) devant
d) à côté du *(Watch out! The 'de' and the 'le' change to 'du'.)*

Test your knowledge 2

1

a) suis
b) sommes
c) sont
d) est
e) êtes
f) es

2

a) 2
b) 4
c) 5
d) 1
e) 3

3

a) manger
b) acheter
c) prendre
d) voir
e) visiter
f) aller
g) finir

4

c), f), l)

Test your knowledge 3

1

a) Paris
b) les Pyrénées
c) la Tour Eiffel
d) les Alpes
e) le Mont Blanc
f) le Val de Loire
g) Notre-Dame
h) Disneyland Paris et le Parc Astérix
i) la révolution française

2

a) aller-simple
b) seconde
c) non-fumeur
d) onze heures
e) cent euro

3

a) chambre
b) douche
c) serviettes
d) balcon
e) repas
f) soupe
g) piscine
h) rien
i) télévision
j) lettre

Test your knowledge 4

1

Marc
a) Il a les cheveux blonds et frisés.
b) Il porte des lunettes.
c) Il est assez grand.
d) Il porte un T-shirt et un jean.

Lucien
e) Il a les yeux marron.
f) Il a les cheveux bruns et assez courts.
g) Il a une moustache.
h) Il est assez petit et mince.
i) Il porte un costume et une chemise blanche.

2
a) 42nd
b) 1st
c) 3rd
d) 15th
e) 5th
f) 1st

3
a) Merci beaucoup pour le petit cadeau.
b) C'était une bonne surprise.
c) J'aime bien le cadeau.
d) Je l'utilise dans ma chambre.
e) Merci encore une fois.

4

DIMANCHE
Nous sommes arrivés à l'Hôtel de la Plage. C'était très confortable!

LUNDI
Il faisait du soleil. J'ai nagé dans la piscine

MARDI
Je suis allé à la plage. J'ai mangé une glace

MERCREDI
Il y a avait beaucoup à faire. C'était génial!

Practice paper
Reading test

1
[Answers]
a) B
b) C
c) D
d) A

2

	Normalement	Pendant les vacances	En colonie
	7.00	9.00	7.00
	22.00 (or 10 p.m.)	23.30 (or 11.30 p.m.)	21.00 (or 9 p.m.)

3
a) even smaller; as big as
b) largest; as big as
c) short; long
d) long; short
e) quite long; teeth
f) head; most intelligent

Speaking test

1
Sample answers
a) Oui, j'ai un frère / deux frères / une sœur / deux sœurs. / Non, je suis fils/fille unique.
b) Oui, nous avons un jardin. / Non, nous n'avons pas de jardin.
c) Mon ami s'appelle Alfie. Il est intelligent et loyal. Il n'est pas à la mode. Il a les cheveux courts et les yeux marron. Il porte un jean et un T-shirt.
d) Je sors avec mes amis et nous allons au cinéma. Je vais à la piscine et je nage.

2
Sample answers
a) Je m'appelle...
b) J'habite à...
c) J'ai ... ans.
d) Je suis...

e) Je parle anglais, français et...
f) Je suis intelligent(e) et assez responsable.
g) Je n'ai pas d'animal à la maison.
h) Au collège je porte un uniforme scolaire bleu.
i) Pendant mon temps libre, j'écoute de la musique et je regarde la télé.

3

Sample answers

a) Il fait beau.
b) Je vais regarder un film et je vais manger dans un restaurant.
c) J'aime/J'adore/Mon émission préférée est *Coronation Street*.
d) J'ai fait mes devoirs.

4

See pages 31, 59 and 79 for ideas of what to say.

Writing test

1

Any four of: avion / bateau / le Shuttle / voiture / train / Eurostar / aéroglisseur / catamaran

2

a) Caroline aime la télé.
b) Mais elle déteste la glace.
c) Elle mange à la maison.
d) Le soir elle fait ses devoirs.

3

Sample answers

Any six of the following:

a) *Mes détails personnels*
   J'ai 12 ans./ J'habite à Clermont-Ferrand. / Je suis français.
b) *Mes passe-temps et passions*
   J'écoute de la musique. / J'adore le foot. / Je joue au foot. / Je nage. / J'aime nager. / Je vais souvent à la piscine.
c) *Ma vie à l'école*
   J'aime le/la/les... / Je n'aime pas le/la/les...
   Ma matière préférée est...
   Je suis fort en...
   Je trouve ... facile/difficile.
d) *Mes langues*
   Je parle français/allemand/anglais.

4

Sample answers

- Il fait beau. / Il fait du soleil. ... *(see page 57)*
- J'aime l'hôtel, parce qu'il est très confortable. ... *(see page 59)*
- J'ai visité un musée et j'ai nagé dans la mer. ... *(see page 79)*
- Je vais acheter des souvenirs et je vais regarder un film au cinéma. ... *(see pages 29 and 79)*
- Qu'est-ce tu aimes faire en vacances?

Le pire restaurant du monde! p61
The worst restaurant in the world!

Le restaurant est plus sale qu'une poubelle.
The restaurant is dirtier than a dustbin.

La glace est plus chaude que la soupe.
The ice cream is warmer than the soup.

Le vin est moins fort que l'eau.
The wine is weaker (less strong) than the water.

La chaise est plus grande que la table.
The chair is bigger than the table.

Le garçon marche moins vite que les escargots sur mon assiette.
The waiter walks less quickly (more slowly) than the snails on my plate.

Le fromage est plus jeune que la viande.
The cheese is younger than the meat (i.e. the meat is old!).

Le restaurant est aussi froid que le frigo dans la cuisine.
The restaurant is as cold as the fridge in the kitchen.

C'est le plus cher restaurant de la ville.
It's the most expensive restaurant in town.